DOSSIERS
DOCUMENTS

# PLUIES ACIDES

Ross Howard
Michael Perley

# PLUIES ACIDES

traduit de l'anglais
par Michel Beaulieu

## QUÉBEC/AMÉRIQUE

450 est, rue Sherbrooke, Suite 801,
Montréal, Québec, H2L 1J8
Tél. : (514) 288-2371

Édition originale publiée par House of Anansi Press Limited, Toronto
© 1980 Ross Howard and Michael Perley
©1982, ÉDITIONS QUÉBEC / AMÉRIQUE
DÉPÔT LÉGAL:
BIBLIOTHÈQUE NATIONALE DU QUÉBEC
1er TRIMESTRE 1982
ISBN 2-89037-086-0

*Une colonne de fumée s'élevait régulière...*
*une fumée de soufre empoisonnée et*
*piquante qui empestait l'air environnant*
*de sorte que nul ne pouvait s'en approcher*
*sans dommages. Elle corrodait la terre*
*aux alentours et aucune végétation ne*
*pouvait y croître. Le sol était complè-*
*tement dénudé dans un rayon d'un quart*
*de mille et se réduisait à des roches*
*détachées qu'on aurait dit lancées sur*
*une terre de gravier stérile,...*

**Carl von Linne,**
***Iter Delekarlicum, 1734***

*La réponse est soufflée par le vent*

**Bob Dylan**

# Liminaire

La plupart des livres traitant de pollution appartiennent à la catégorie des dossiers noirs. Malheureusement les histoires d'horreur produisent des effets négatifs sur les citoyens. Les meilleurs livres incitent le lecteur à tirer ses propres conclusions plutôt que de l'écraser sous le poids de catastrophes inévitables. C'est le cas du livre de Ross Howard et Mike Perley. Dans un langage simple mais convaincant, ils exposent tous les aspects du problème. Non pas que leur description du phénomène des pluies acides n'ait pas un effet choc! Dès les premières pages, la complexité de la situation et la gravité des conséquences bouleversent.

Effet choc, mais effet positif. S'il nous ouvre les yeux sur les pluies acides, le livre rappelle aussi que la situation précaire à laquelle nous faisons face résulte de notre propre négligence. Au nom du progrès, nous nous sommes trop longtemps fermé les yeux sur les aspects universels et globaux des multiples formes de pollution. Les frontières n'existent plus. L'eau, l'air et même le sol s'échangent allégrement leurs contaminants les plus insidieux, les plus toxiques. La flore et la faune, les lacs en sont les victimes les plus évidentes. Mais par l'air que nous respirons ou à travers la chaîne alimentaire, dont nous sommes le dernier maillon, chacun d'entre nous *bientôt en subira directement les conséquences. N'allons surtout pas croire que nous sommes immunisés.*

*Je vous invite à me retrouver à la fin du livre dans une postface que j'ai intitulée : « Un problème d'opinion publique ». J'ai la conviction que ce livre, plus qu'une description judicieuse d'un problème, doit marquer le point de départ d'une lutte sans merci pour la sauvegarde de notre environnement.*

**Tony LeSauteur**

# Avant-propos

Lorsqu'il fut l'année dernière pour la première fois question de ce livre, les déclarations des politiciens et de certains scientifiques laissaient entendre que le phénomène des pluies acides était tout à fait nouveau et que l'on ne le comprenait que dans ses grandes lignes. Il existait pourtant, depuis près d'une décennie, un important ensemble de rapports, d'études et d'avertissements à ce sujet. J'ai tenté de réduire au minimum le jargon et les complexités scientifiques, quoiqu'il soit nécessaire pour bien cerner la réalité des pluies acides d'avoir recours à certaines données numériques et économiques ainsi qu'à certains relevés spécifiques. Tout en décrivant les pluies acides et leurs conséquences, j'ai tenté d'établir qui était responsable de la lenteur particulière de la prise de conscience en Amérique du Nord face à un problème dont on reconnaît qu'il s'agit d'un désastre national au Canada et d'un cauchemar écologique ailleurs. Les données économiques du contrôle des pluies acides sont loin d'être aussi complexes et rebutantes que plusieurs l'affirment ; le prix de l'inertie en la matière est déjà plus évident et beaucoup plus élevé que la plupart des Nord-Américains ne le réalisent. L'état actuel de nos connaissances devrait nous permettre d'apporter des solutions au problème des pluies acides, mais les décisions politiques en ce sens continuent d'être reportées. Au bout du compte, ces solutions sont du ressort de chacun de nous.

12

Je n'aurais jamais pu écrire si rapidement ce livre sans les données auxquelles j'ai accès comme responsable de l'environnement au *Toronto Star* et sans le temps qu'a consacré Ray Timson à en faire démarrer le manuscrit. Je tiens aussi à remercier les fonctionnaires et les scientifiques qui y ont coopéré de même que les amis qui m'ont encouragé. Ils ont facilité ma tâche. J'éprouve de la reconnaissance à l'endroit du Conseil des Arts de l'Ontario pour son aide. Jim Polk, de House of Anansi, s'est dépensé sans compter. Ce livre n'aurait jamais vu le jour sans Mike Perley. Il n'aurait jamais été terminé sans la tolérance et l'appui de Peggy.

*RKH*

Je tiens à remercier la Canadian Environmental Law Research Foundation pour l'énorme documentation qu'elle m'a fournie de même que pour son soutien moral. Je remercie aussi les fonctionnaires et les autres personnes impliquées dans le débat des pluies acides qui m'ont accordé sans compter temps et informations, même s'il n'était parfois pas dans leur intérêt de le faire ;

Ross Howard, dont la bonne humeur intarissable et la patience ont été essentielles pour parcourir les masses d'informations souvent contradictoires et embrouillées au sujet des pluies acides ;

Et finalement Lizette, William et Benjamin pour leur appui et leurs interruptions bienvenues.

*MP*

# Préface

## Une impitoyable pluie

Le lac Nellie est un lac paisible et chatoyant du centre-nord de l'Ontario, situé dans une région protégée connue sous le nom de parc Killarny, où une forêt sauvage croît sur un fond de granit rose. Le peintre A.Y. Jackson, du Groupe des Sept, a donné du lac et du paysage environnant un premier aperçu dans ses toiles des années 30 et celles-ci, de nos jours, sont reproduites sur des affiches et des calendriers que l'on peut apercevoir dans les banques, les bureaux et les salons d'un bout à l'autre du pays. Le lac Nellie ressemble à des milliers d'autres lacs ontariens qui attirent chaque année vers le nord plus d'un million de vacanciers, de touristes, de pêcheurs et de passionnés de vie au grand air, loin des villes industrielles, en leur offrant des espaces vierges qui s'étendent des rives du lac Huron à la frontière du Québec. Il s'agit du genre de lac que le gouvernement canadien choisit pour mousser sa publicité touristique dans les magazines américains, du genre de paysage que l'on identifie dans le monde entier comme exclusivement nordique et canadien.

Le lac Nellie est aussi « mort par acidification ». L'eau y chatoie parce que les acides y ont tout détruit, même la couleur. Elle est anormalement paisible parce que sa faune aquatique naturelle, — poissons, écrevisses, escargots, — y a disparu, de même que les grenouilles et les salamandres dont foisonnaient ses rives, et le nombre d'insectes qui s'élançaient à sa surface ou grouillaient dans ses profondeurs a diminué. Le lac Nellie est mort depuis moins de vingt ans, mais sa mort ne découle pas de causes naturelles. Il se trouve pourtant à des dizaines de milles de l'habitation la plus proche, au milieu d'une forêt protégée. Aucune grande ville n'existe à proximité pour y déverser des contaminants et le transformer en égout comme le lac Érié et la rivière Hudson. Aucune route ne passe à proximité et on n'y a ni déversé de produits chimiques ni abandonné des montagnes de résidus miniers. Les acides qui ont tué le lac Nellie sont tombés du ciel sous forme de pluie corrosive et empoisonnée d'acides sulfurique et nitrique.

On connaît au moins 140 lacs morts par acidification dans un rayon de cinquante milles à l'est et au nord du parc Killarny. À cent vingt milles au nord-est, à la limite du célèbre parc Algonquin, parmi les lacs qui attirent depuis plus d'un demi-siècle les citadins à cause de leurs chalets et de leurs résidences d'été, les chercheurs mesurent jour après jour l'agonie d'un autre lac à Dorset. À l'ouest, des instruments délicats sont enfermés dans des boîtes dont les côtés, munis de volets, ressemblent en miniature aux milliers de chalets qui se dressent sur les rives de la baie Georgienne. Ces instruments analysent l'eau des rivières qui se jettent dans la baie et la trouvent à certains moments sérieusement acidulée. Plus de 48 000 lacs souffrent déjà des effets des pluies acides dans cette bande de nature sauvage, faite sur mesure, que les vacanciers appellent «le Nord, Muskoka, la Baie, ou le Parc», et qui traverse le centre-nord de l'Ontario. Les pluies acides atteignent de même des centaines de milliers d'autres lacs situés plus au nord, au-delà de Temagami et de Sudbury, là où commence le Nord véritable qui s'étend de la baie d'Hudson au Manitoba.

L'Ontario ne se trouve pas seul en cause. La moitié des lacs situés à une altitude de plus de 2 000 pieds dans les montagnes Adirondacks de l'État de New York sont morts d'acidification. Sur la côte est de la Nouvelle-Écosse, presque toutes les rivières qui se jettent dans l'océan Atlantique sont empoisonnées par les acides. Plus au sud, les pluies acides tombent sur les États du Maine, du Vermont et du New Hampshire, de même qu'en Floride. Elles sont de plus en plus fréquentes dans le Minnesota et vers l'ouest jusqu'à la division continentale des Rocheuses dans le Colorado. Il tombe de fait une pluie régulière d'acides faibles mais destructeurs sur tout l'est de l'Amérique du Nord, de la baie d'Hudson au golfe du Mexique.

Les pluies acides pourraient bien constituer l'illustration la plus douloureuse du vieux truisme selon lequel tout ce qui monte doit redescendre. Elles découlent de la pollution. Le cœur industriel de l'est de l'Amérique du Nord rejette chaque année dans les cieux plus de 30 millions de tonnes de dioxyde de soufre et d'oxyde d'azote en provenance de centrales énergétiques alimentées aux carburants fossiles, de fonderies et de moteurs d'automobiles. Ces oxydes se mêlent dans l'air à la vapeur d'eau et s'y transforment peu à peu en acides sulfurique et nitrique. Poussés par les vents, ces acides retombent pour une bonne part à des centaines, voire à des milliers de milles de leurs sources enfumées, surtout au nord et à l'est, en Ontario, au Québec, dans les Adirondacks et sur la côte atlantique. Il tombe chaque année environ 11 onces d'acide sulfurique sur chaque acre de terre du sud de l'Ontario.

Trente ans de ce déluge chimique ont suffi pour compromettre un processus fondamental de la nature dont le fonctionnement remonte à la nuit des temps. De nos jours, la pluie s'insinue dans des sols lessivés de leurs agents chimiques régulateurs, bousculés qu'ils ont été durant ces trois décennies par les acides. Dans le nord, par exemple, où les sols sont minces, les acides sont déversés directement dans les rivières et les lacs. Le processus d'acidification cependant s'accélère ; dans certains sols et certaines eaux lessivées, cinq autres années de pluies acides pourraient suffire à épuiser les ultimes régulateurs chimiques. Les lacs et les réservoirs où se déverse habituellement ce flot se transforment en éviers et en égouts chimiques. Parmi les 48 000 lacs des étendues sauvages que fréquentent les vacanciers et les amateurs de sports au grand air dans le nord de l'Ontario, des milliers pourraient mourir d'acidification au cours des dix prochaines années.

Les pluies acides ne tuent pas que des lacs. Elles peuvent endommager les feuilles des forêts de bois franc, flétrir les lichens et les fougères, accélérer la mort des aiguilles de conifères, stériliser les graines et rendre les forêts plus susceptibles à la maladie, à l'infestation et à la pourriture. Les acides neutralisent sous la surface du sol les agents chimiques vitaux pour la croissance, en lessivent d'autres qu'ils charrient vers les lacs, ralentissant ainsi littéralement la respiration du sol. De 1956 à 1965, années où les pluies acides se sont intensifiées, le taux de croissance des forêts des White Mountains, dans l'État du New Hampshire, a décliné de 18 pour cent.

Les chutes de pluies acides ne se limitent plus exclusivement aux lacs, aux forêts et aux sols minces du nord-est ; elles couvrent de nos jours presque la moitié du continent. Les témoignages indiquent que ces pluies compromettent la productivité de sols autrefois fertiles comme s'il s'agissait d'une surdose de fertilisants chimiques ou d'une gigantesque aspersion de vinaigre. Les dommages causés par de telles surdoses pourraient n'être ni réparables ne réversibles. Certaines terres de fermage ne produisent plus que des plants de tomates dont la hauteur n'atteint que la moitié de la normale et les feuilles de radis y dépérissent. En Ontario, l'action des pluies acides et autres polluants descendus du ciel pique les feuilles de tabac et les rend invendables. Il pleut bien sûr aussi sur les villes, endommageant la peinture des véhicules et des bâtiments, rongeant les monuments de pierre et les structures de béton, corrodant les tuyaux par où l'eau retourne vers les lacs et les rivières. L'eau de certaines communautés est chargée de métaux toxiques libérés des tuyaux métalliques par l'acidité. Comme si les cieux des villes n'étaient pas déjà suffisamment gris, la visibilité a décliné de 10 à 4 milles le long de la côte est tandis que les pluies acides se synthétisaient en nouveaux smogs. Certains indices permettent de croire de nos jours que les composantes des pluies acides représentent un danger pour la santé puisqu'on les associe aux maladies respiratoires des humains.

Les Nord-Américains et surtout les Canadiens, pas plus que les scientifiques, les fonctionnaires et les politiciens responsables de la protection de l'environnement, ne devraient en être surpris. La Suède a lancé le premier cri d'alarme, résultat d'une recherche de 20 ans sur la pollution de l'air soufflé vers la Scandinavie depuis les usines et les villes tant d'Europe que d'Angleterre, au début des années 70. Le rapport suédois faisait état d'hécatombes massives de poissons et d'un taux de mortalité des lacs s'élevant dans les centaines, tout en attirant l'attention sur des dommages causés aux récoltes et aux forêts, sur la corrosion des propriétés et sur les implications pour la santé, concluant que les pluies acides menaçaient la Suède d'un désastre écologique dans un proche avenir. Et, ajoutait-il, « une situation similaire pourrait peut-être se reproduire dans certaines régions du Canada ainsi qu'au nord-est des États-Unis... La vraisemblance d'une telle éventualité doit de toute urgence faire l'objet d'une étude approfondie ». Ce rapport représentait la contribution suédoise la plus importante à la conférence des Nations Unies sur l'environnement, tenue à Helsinki en 1972, dont on a dit qu'elle avait été l'amorce d'une nouvelle conscience écologique, et il a été traduit.

De ce côté-ci de l'Atlantique, on n'entendit guère le cri d'alarme suédois. Certains scientifiques connaissaient les recherches entreprises par les Scandinaves ; d'autres auraient dû les connaître puisqu'elles faisaient partie de leurs responsabilités habituelles dans le domaine de la protection de l'environnement. Dans l'ensemble, les scientifiques ont omis d'en faire part à quiconque et encore moins à la population. Avant le milieu des années 70, l'ensemble des recherches portant sur les vastes implications des pluies acides ne correspondait guère qu'à une goutte d'eau dans l'océan. Cette goutte d'eau était constituée pour 90 pour cent de recherches suédoises et pour 10 pour cent de l'inquiétude que des conditions similaires semblaient prévaloir en Amérique du Nord. Au Canada, au moins un scientifique de l'université étudia la situation et lança son propre cri d'alarme, mais on se contenta la plupart du temps de le rabrouer ou de l'ignorer. De nos jours, dans les mots de Harold Harvey, chercheur qui se consacre aux pluies acides, « on dirait que les scientifiques du gouvernement et les responsables des décisions ne veulent pas s'ouvrir les yeux devant la réalité ». Le mythe du Nord propre et vert a la vie dure et trois publications canadiennes à grand tirage rejetèrent les découvertes de Harvey. L'une de ces publications nia leur bien-fondé sous le prétexte que l'un de ses employés « avait déjà pris un poisson dans cette région ». Certains lacs du parc Killarny, la région en question, étaient morts depuis une décennie.

Il fallut attendre 1978 pour qu'une étude commandée par le gouvernement ontarien confirme le modèle suédois. Un examen sommaire de 200 lacs du parc Killarny et des régions avoisinantes permit en effet de découvrir la mort de 40 lacs et l'agonie de 100 autres. Quelques journaux signalèrent cette découverte en fin de cahier. Un an plus tard, pourtant, le taux de mortalité des lacs sonnait le glas d'une bonne part des endroits de villégiature ontariens. Bureaucrates prudents, universitaires et écologistes à l'esprit critique particulièrement vif esquissèrent à grands traits l'ampleur et les ramifications du problème des pluies acides au cours de 18 séances d'audiences publiques devant une commission parlementaire ontarienne : extinction d'espèces de poissons, affaiblissement du sol, végétation menacée. On y souligna la similitude des Adirondacks tant par la géographie que par les pluies qui y tombaient ou les dommages que celles-ci causaient. On y fit même état des études suédoises, bien que trop souvent sans leur donner crédit de l'avertissement à l'intention de l'Amérique du Nord qu'elles contenaient. Vers la fin des audiences, un député du parti libéral, dans l'opposition, demanda : « N'est-il pas vrai que nous faisons face au désastre écologique de la décennie ? » Personne ne le démentit. Au sud de la frontière, les audiences de la commission ontarienne, à l'instar des pluies acides, passèrent presque inaperçues.

Après les audiences de la commission, les pluies acides continuèrent de tomber et les dommages d'augmenter. Au 1er juin 1980, rien n'avait été entrepris ni au Canada ni aux États-Unis, qui permette d'envisager une réduction notable des pluies acides au cours de la prochaine décennie. Celle-ci verra le taux de mortalité des lacs d'Amérique du Nord s'accroître substantiellement et des dommages étendus pourraient frapper durement la foresterie et l'agriculture. Le Canada et les États-Unis se sont pourtant engagés avec diligence dans la construction de sources supplémentaires de polluants générateurs de pluies acides.

Jusqu'en 1980, les plus importantes sources canadiennes de pluies acides, situées en Ontario, n'étaient pas contraintes de réduire leurs émissions. La source la plus importante de toutes, la plus grande fonderie de la planète, qui appartient à l'International Nickel Company (l'Inco Ltd) et se trouve à Sudbury, dans les courants météorologiques qui convergent vers le parc Killarny, a obtenu, malgré des ordres préalables, la permission en 1978 de poursuivre ses activités sans réduction de ses émissions avant 1983. L'Hydro Ontario, second pollueur en importance et propriété du gouvernement provincial, s'est sans cesse opposé à l'installation de régulateurs de pollution et a poursuivi sans contrôle la construction d'une nouvelle source. Au début de 1980, on a apporté des amendements mineurs aux ordres de contrôle de pollution de l'Inco, mais en reportant à une date indéterminée l'imposition de réductions substantielles. Au sud de la frontière, plus de 200 des centrales énergétiques les plus sales du continent, alimentées aux carburants fossiles, ont toute latitude de vomir leurs oxydes jusqu'à ce qu'elles deviennent désuètes dans 20 ans ou davantage. Ces centrales, appartenant souvent à des intérêts privés, sont groupées dans le voisinage de leur source de carburant, le charbon de l'est. Ce charbon cache de puissants intérêts politiques et économiques qui ont déjà entravé des tentatives de régulation et ne permettent pas de croire qu'ils se plieraient à de nouvelles tentatives dans ce sens. Ces centrales constituent la base d'un entonnoir qui souffle sur l'Ontario, les Adirondacks et la côte atlantique un air porteur de quelque 20 millions de tonnes de matériaux générateurs de pluies acides, soit plus du double du volume qui affligeait la Suède et six fois le total des émissions ontariennes. Mais l'avenir nous en promet davantage. À cause de leur course folle pour limiter leur vulnérabilité énergétique, les États-Unis extraient davantage de charbon pour leurs nouvelles centrales et leurs carburants synthétiques dans un territoire de plus en plus vaste. Le projet énergétique de 142 milliards de dollars, mis de l'avant par le président Carter en juillet 1979, signifie davantage de pluies acides. Ces nouvelles centrales seront soumises à une régulation plus sévère que les centrales actuelles, mais les émissions éventuelles d'oxyde de soufre et d'azote n'en connaîtront pas moins une augmentation.

Depuis le début de 1978, les gouvernements ont exprimé leur inquiétude face aux pluies acides de l'un et l'autre côté de la frontière mais sans leur donner de suite, bien que les diplomates canadiens ne se soient pas fait faute de relever l'ironie de la première plainte américaine. Celle-ci découlait d'une résolution adoptée par le Sénat américain en mai 1978, qui exhortait le Canada à endiguer les émissions secondaires de deux centrales énergétiques en Ontario et en Saskatchewan. On évaluait pourtant alors que le total des émissions américaines était de cinq fois supérieur aux émissions canadiennes, et que jusqu'à la moitié de ces émissions étaient poussées par le vent au-dessus de la frontière vers le nord. Deux ans de rencontres et d'échanges scientifiques parfois acerbes n'ont cependant rien produit d'autre qu'une entente qui faisait état de la nécessité d'en venir à un accord international pour endiguer les sources de pluies acides dans les deux pays. Les données scientifiques ont relevé l'évidence : les pluies tombent de chaque côté de la frontière ; les dommages causés par les pluies acides augmentent ; et aucun des deux pays ne veut être le premier à assumer les coûts d'un nettoyage.

Malgré les promesses des politiciens et des fonctionnaires selon qui le Canada et au premier chef l'Ontario doivent agir et agiront contre les sources locales de pluies acides, et les États-Unis « encouragés » à agir dans le même sens, la position canadienne se réduisait en 1980 à l'assurance décevante et à l'espoir désespéré que les États-Unis fassent les premiers pas. Les leaders canadiens, à l'instar des scientifiques et des industriels, expliquent leur inertie en soutenant qu'un nettoyage exclusivement canadien demeure inutile, puisque le pays émet moins d'oxydes au total que les États-Unis et souffre d'importantes importations de gaz américains. Au sud de la frontière, on accuse le Nord. Il est nécessaire que le Canada adopte de nouvelles mesures pour réduire les émissions avant qu'un Congrès préoccupé par l'énergie n'accepte de fermer les robinets des sources de pollution américaines par l'adoption de nouvelles mesures législatives. Pour l'instant, les protestations canadiennes n'ont pas eu de suite. La plupart des législateurs américains ne connaissent rien au problème des pluies acides. L'unique petit pas qu'a fait le Canada pour endiguer une source au début de 1980 n'a causé aucune modification de la conscience américaine.

Au bout du compte, il importe peu de savoir lequel des deux pays agira le premier : tous deux doivent agir. Il est possible qu'il en coûte jusqu'à 10 milliards de dollars au Canada et huit fois plus dans l'est des États-Unis pour endiguer, sans les enrayer totalement, les pluies acides au cours des prochains 20 ans. La technologie est en grande partie déjà disponible bien que, tant au Canada qu'aux États-Unis, elle subisse les menaces habituelles et le chantage des compagnies et des politiciens selon qui un nettoyage signifiera des pertes d'emplois. Des pertes d'emplois résulteront cependant tout autant d'une absence de nettoyage. En 1980, le Canada ne s'était toujours pas donné la peine d'évaluer avec quelque précision les pertes économiques possiblement encourues à cause des pluies acides. L'Ontario, la province apparemment la plus durement frappée, n'avait toujours pas consacré le moindre sou à l'évaluation des éventuelles pertes d'emplois dans une industrie de la pêche dévastée dont les revenus annuels s'élèvent à 120 millions de dollars, dans l'industrie touristique des régions affectées par les acides, dont les revenus annuels s'élèvent à 900 millions de dollars, ou dans l'industrie forestière qui, avec ses revenus de 2 milliards, pourrait avoir à faire face à un déclin de productivité de l'ordre de 15 pour cent. Incapables de prévoir pour l'instant les pertes éventuelles à une décimale près, les politiciens et les fonctionnaires préfèrent se taire et ne lancent aucun avertissement. Un simple calcul des enjeux, pourtant, couplé à nos connaissances actuelles et à la fragilité de plus en plus évidente de nos ressources, démontre à l'envi que les pluies acides font courir au Canada un risque économique inacceptable. Abstraction faite des pertes financières, les lacs propres, les forêts en santé et l'air frais qui signifient tant aux yeux des Canadiens et des Américains sont peut-être moins tangibles mais certainement d'une importance vitale.

Le Canada et les États-Unis ont laissé les coûts présumés du nettoyage grimper de plus en plus sans les remettre en question, tout en négligeant la réalité tant physique qu'économique des dommages causés par les pluies acides. En Suède, on fait mieux face au problème. Le gouvernement y attira l'attention en 1972 sur le fait que, sans modification, les pluies acides pourraient signifier des pertes de 7 pour cent de la productivité forestière, de 50 pour cent des lacs vivants, de 45 millions de dollars en corrosion de la propriété, ainsi qu'une augmentation du taux de mortalité humaine en l'an 2000 et jugea inacceptable de courir ce risque. La Suède adopta en 1973 des lois visant à réduire ses sources de pluies acides et entreprit de faire pression sur l'Europe pour que celle-ci endigue ses émissions.

En Amérique du Nord, toutefois, aux prises avec un problème de pollution beaucoup plus coûteux, le Canada et les États-Unis se contentent de bailler et d'attendre. Le Canada n'a pas le choix : il doit agir seul et massivement, puisqu'il lui est traditionnellement impossible d'influencer par la subtilité son voisin encombrant et largement intéressé. Le géant ne s'est toujours pas penché sur les pluies acides mais ses coûts et les destructions qu'elles provoquent montent rapidement et ne

# 1

# L'agonie des lacs

Au printemps 1966, un zoologiste de l'Université de Toronto, Harold Harvey, veillait à l'implantation de 4 000 saumoneaux roses dans le lac Lumsden, petite étendue d'eau située au cœur des forêts sauvages du parc Killarny. Ayant appris que le saumon rose survivait dans les eaux du lac Supérieur, Harvey, un spécialiste des pêcheries, s'était intéressé à la possibilité d'élever dans d'autres lacs ces poissons à croissance rapide, populaires auprès des amateurs de pêche. Il choisit, au milieu des basses collines veinées de quartz des montagnes La Cloche, un lac situé juste à l'intérieur du littoral de la baie Georgienne à environ 200 milles au nord-ouest de l'Université. Le lac convenait d'autant plus que, coupé de toute route et personne ne vivant à proximité du lac lui-même ni des cinq petits lacs qui lui servent de sources, il constituait tout de même un paradis pour les pêcheurs de truites de lac, de perches et de harengs de lac, d'après des études gouvernementales du début des années 60. Les eaux s'y jettent en amont par une chute de 10 pieds et ne peuvent s'en échapper que par un tamis de bûches et de débris au sommet d'une chute de 45 pieds. Son eau claire, profonde de 60 pieds, convenait parfaitement au saumon.

Harvey installa comme précaution supplémentaire des treillis à travers l'émissaire, de façon que sa population expérimentale de poissons reste en place. Tout en vérifiant son entreprise, Harvey prit au filet quelques carpes, communes dans la région et éventuelle nourriture pour ses poissons. Anormalement petites, celles-ci semblaient incapables de se reproduire. Il les apporta dans son laboratoire pour tenter de déceler chez elles quelque défaut génétique ou malfonction de l'appareil reproducteur. Pour en savoir plus long au sujet de sa découverte, Harvey interrogea au cours de l'hiver des responsables des pêcheries du gouvernement provincial ici et là dans la province et en obtint une demi-douzaine de confirmations vagues et peu intéressées. Il laissa de côté ces réponses lorsque avec le printemps 67, le temps fut venu d'examiner sa population de saumons. Il consacra la majeure partie de son été à leur recherche sans en retrouver un seul. Les 4 000 poissons avaient complètement disparu. Les énormes filets qu'il traîna dans le lac ne lui permirent que d'en ramener d'autres carpes naines, toutes âgées. Il n'y avait aucune carpe jeune. Pourtant, les analyses démontraient que le lac contenait suffisamment de nourriture pour de nombreux autres poissons. La disparition de la totalité des saumons demeurait inexplicable, de même que l'abondante population de carpes.

Au printemps 68, Harvey et ses étudiants retournèrent au lac Lumsden où ils prirent et étiquetèrent 100 carpes de même que 60 autres dans un lac voisin, choisissant un échantillonnage représentatif quant à l'âge et à la classification. Le printemps suivant, ils ne purent récupérer que quelques-uns des poissons étiquetés. Il n'y avait dans le lac Lumsden aucune carpe d'un an et les femelles ne s'y reproduisaient pas. L'équipe de Harvey captura et étiqueta une quantité évaluée à 25 pour cent de la population en carpes du lac et la relâcha. À l'automne, quelques mois plus tard, les filets ne ramenèrent qu'un seul poisson étiqueté. Pire encore, ceux-ci ne capturèrent ni truite de lac, ni perche, ni hareng dont se félicitaient les pêcheurs seulement cinq ans auparavant. Les huit espèces dont on savait le lac peuplé se réduisaient à une seule : les carpes.

Au cours des étés 1969 à 1971, Harvey et ses chercheurs remontèrent dans leurs canots vers les cinq lacs affluents et transportèrent leurs embarcations vers quelques lacs des environs. Ils durent transporter de même 1 500 livres de filets, d'étiquettes, de bouteilles d'échantillons d'eau et d'équipement divers puisque l'accès du parc Killarny était interdit aux hydravions. Cette tâche éprouvante produisit des résultats démoralisants : en amont, les lacs étaient presque vides de poissons, de même que le lac George, situé à proximité. Le lac OSA, baptisé en l'honneur de l'Ontario School of Arts qui avait accueilli plusieurs membres du Groupe des Sept entre leurs expéditions à Killarny où ils peignaient quatre décennies plus tôt, était tout aussi vide. Après avoir planifié l'implantation d'une nouvelle population de poissons dans un seul petit lac, Harold Harvey ne put que constater la disparition de virtuellement tous les poissons dans plusieurs lacs où ils foisonnaient à peine une décennie plus tôt. Il avait découvert le déclin et la mort des lacs Killarny sous l'effet des pluies acides. Mais ce n'était là qu'un commencement.

En même temps que tout le reste, Harvey et son équipe transportaient un équipement capable de mesurer le niveau d'acidité de l'eau. Ces tests allaient de soi et ceux que le gouvernement avait effectués une décennie plus tôt pouvaient servir de point de comparaison. En 61, par exemple, le niveau d'acidité du Lac Lumsden s'élevait à 6.8 à l'échelle pH. Les valeurs de cette échelle vont de 0 à 14. Une eau parfaitement neutre, comme c'est le cas de l'eau distillée en laboratoire, atteint 7 à l'échelle pH : lorsque le niveau dépasse 7, il s'agit d'alcalins ou de bases ; le pH du bicarbonate de soude atteint 8.5 et celui de l'ammoniac, 12. Lorsque le niveau est inférieur à 7, il s'agit d'acides. Le vinaigre atteint 2.5, la limette 1.7 et l'acide à batteries atteint un niveau très inférieur à 1. La simplicité de l'échelle pH peut être trompeuse : elle fonctionne selon une progression logarithmique. Un déplacement de 1 unité signifie qu'il faut multiplier par 10. Un pH de 6 représente un taux d'acidité 10 fois supérieur à un pH neutre de 7. En d'autres termes, plus l'on baisse à cette échelle plus le taux se surmultiplie. Une légère déviation par rapport à la neutralité est normale ; la pluie naturelle elle-même est légèrement acide sur une bonne part de la surface du globe à cause des agents chimiques que l'on trouve habituellement dans l'air, et presque partout son pH atteint 5.6. Lorsque cette pluie naturelle légèrement acide pénètre dans le sol, d'autres agents chimiques réagissent et la neutralisent ; lorsque l'eau atteint les lacs et les rivières, son pH est beaucoup plus près de 7, c'est-à-dire neutre, lorsqu'il n'est pas quelque peu alcalin. Ce processus intervient depuis la première chute de pluie vierge sur la planète. Mais dans les années 50, ce processus a commencé à se modifier de façon dramatique dans la région des lacs Killarny.

Les mesures de l'acidité effectuées par Harvey ont démontré que le pH du lac Lumsden a chuté de 6.8 en 1961 à 4.4 en août 1971, soit une multiplication hautement anormale de 100 fois du niveau d'acidité en une décennie. Les lacs situés en amont et les lacs voisins où il cherchait d'abord du poisson et dont il avait mesuré le niveau d'acidité, avaient subi d'importantes baisses à l'échelle pH, donc d'importantes augmentations du niveau d'acidité, et perdu une partie importante de leur population. En 1972, Harvey avait procédé à l'examen de plus de 60 lacs de la région du bassin hydrographique du parc Killarny. Lac après lac, il releva un pH bas et une population de poissons clairsemée. Selon les lacs, différentes espèces avaient disparu ; certains recélaient de gros poissons mais aucun jeune ; certains étaient tout simplement vides. À en croire ces relevés, presque tous ces lacs étaient en bonne santé une décennie auparavant. Harvey et son principal assistant de recherches rentrèrent à l'université où ils entreprirent la rédaction d'un rapport au sujet de leurs découvertes.

Harold Harvey s'apprêtait à décrire à propos du lac Lumsden comment les poissons et les lacs meurent d'acidification ailleurs. Le processus et le déroulement ne se reproduisent pas exactement de la même façon dans tous les cas, mais ils aboutissent au même résultat : certains poissons disparaissent, une espèce disparaît, puis à la longue tous les poissons disparaissent. Les modifications invisibles commencent lorsque les ions hydrogène contenus dans l'acide rompent les liaisons chimiques du calcium, du magnésium et d'autres éléments chimiques contenus dans l'eau. C'est ce qu'on enseigne au cégep durant les cours de chimie. En termes simples, l'acide provoque des modifications chimiques dans le sang des poissons et leur métabolisme corporel s'en trouve modifié. Les carpes étrangement atrophiées découvertes par Harvey en 1966 souffraient d'un déséquilibre du métabolisme dont découlait leur incapacité à se reproduire. Privées de calcium, les femelles se voyaient incapables de produire et de pondre les œufs que les mâles fertiliseraient. Dans certains cas, les poissons ne parvenaient pas à maturité : ils ne croissaient pas normalement parce que leur système respiratoire ne parvenait pas à capter l'oxygène contenu dans l'eau qui passait dans leurs branchies, ce qui rendait leur sang inapte à transporter les protéines vers la chair et le squelette.

Certaines carpes n'étaient pas seulement atrophiées ou inaptes reproductrices ; elles étaient de plus malformées. En 1972, près du tiers des poissons capturés et examinés avaient la grande arête tordue et arquée, la tête aplatie et la queue étrangement courbée. Leur squelette manquait des minéraux essentiels à une grande arête forte. Dans d'autres cas, leurs arêtes se dissolvaient lentement parce que le sang y tirait le calcium pour remplacer celui qui avait disparu de la nourriture dans les eaux acidifiées.

On constatait que les poissons ne souffraient pas tous. Ayant moins de compétition de la part de poissons affaiblis, certaines carpes du lac Lumsden prospéraient et grossissaient. Mais elles vieillissaient et comme peu ou pas de jeunes ne les remplaçaient, elles se voyaient menacées de disparaître. Les carpes, — et les 4 000 saumons, — ne constituaient toutefois pas la totalité de la faune qui prospérait autrefois dans le lac Lumsden. Dans les années 50, on y retrouvait au moins huit espèces de poissons. En 1960, on ne pouvait prendre dans ses environs ni perchaude, ni lotte. On y pêcha la dernière truite de lac en 1967, la dernière truite, la dernière perche et le dernier hareng en 1969, l'année même où l'on constata le déclin des carpes. En 1971, on captura quelques ménés malgré un ratissage intense avec des filets, mais rien d'autre. Les recherches ont établi que les acides tuent de façon sélective. Au début, du moins, les poissons ne sont pas tous aussi vulnérables. Leur déclin s'effectue selon un ordre particulier à mesure que le taux d'acidité augmente.

La truite mouchetée et la truite arc-en-ciel, si prisées des pêcheurs, se trouvent au sommet de la liste en termes de vulnérabilité. Elles commencent à souffrir lorsque le pH atteint moins de 6.5 ; les femelles pondent toujours, mais les œufs n'éclosent pas, empoisonnés par l'acide contenu dans l'eau. La population survivante mais vieillissante est alors menacée d'extinction. À moins de 6, toutes les espèces sont menacées. Certaines ne se reproduisent plus ; d'autres pondent des œufs qui n'éclosent pas. À 5, ni les achigans à petite bouche, ni les dorés, ni les truites de lac n'ont d'avenir. Et finalement, aux alentours de 4, — un niveau d'acidité de 1 000 fois supérieur à celui de l'eau neutre, — il ne subsiste à peu près plus dans les lacs que les poissons vidangeurs, les ménés, les crapets verts, les crapets-soleil et les harengs de lac.

À la fin de 1972, l'équipe de chercheurs réunie par Harvey s'était agrandie et avait examiné 150 lacs dans la région de 800 milles carrés du parc Killarny. Près de la moitié des lacs avaient un niveau d'acidité inférieur à pH 5.5 et 33 d'entre eux atteignaient même un niveau « critique » inférieur à 4.5. Certains, dont l'un s'appelait ironiquement lac Acid, ne renfermaient plus le moindre poisson. Il était évident que les lacs isolés, peu fréquentés, n'avaient pas directement souffert de la pollution ou du déversement d'acides et les chercheurs reportèrent leurs soupçons sur les airs. On savait déjà qu'une gigantesque fonderie de nickel de Sudbury, à 50 milles au nord-est, avait empoisonné avec ses émissions polluantes les lacs des environs plusieurs années plus tôt. On savait aussi que certaines de ces retombées comportaient des contaminants tels que le dioxyde de soufre qui se transformait en acide sulfurique au contact de ces lacs de la région de Sudbury. On examina de nouveau les résultats des échantillons de pluie prélevés au cours des recherches de Harvey dans le parc Killarny de 69 à 71 et ceux-ci confirmèrent les soupçons : la pluie qui tombait sur cette région était elle-même acide et, selon les relevés météorologiques de la région de Sudbury, au moins une partie de cette pluie provenait de la région où se trouvait la fonderie. La plupart des relevés de pluie se situaient aux environs de pH 4, un niveau d'acidité dont on pouvait croire qu'il ait contribué à abaisser peu à peu le pH des lacs lorsque les eaux de pluie les envahissaient, mais difficilement assez rapidement pour anéantir d'un coup une génération entière de jeunes poissons comme on l'avait constaté dans le lac Lumsden et d'autres lacs. On trouva la solution dans certains échantillons de neige. Des tests d'acidité effectués dans un bosquet de bouleaux le long du lac Lumsden à la mi-février 1970 devaient révéler un niveau d'acidité de pH 3.3 dans la couche supérieure de dix pouces. Dans les couches inférieures, le niveau était encore plus bas.

Des conditions similaires existaient autour d'autres lacs des environs. Au milieu de l'hiver suivant, de nouveaux relevés indiquaient que la neige était acide. Harvey émit l'opinion dans son rapport sur l'acidification des lacs des montagnes La Cloche que lorsque la neige fond rapidement comme elle le fait au printemps pendant la débâcle dans le nord de l'Ontario, l'acide envahit les lacs et les rivières et y produit un choc[1]. Quelques jours durant, les rivières contiennent plus d'acide qu'une pluie normale aurait pu y déverser. Plusieurs espèces de poissons profitent du printemps pour la reproduction et le frai. Le choc du déversement des acides est la phase la plus cruelle de l'acidification : celle-ci frappe les lacs au moment où leur faune aquatique est la plus vulnérable et ses conséquences sont meurtrières. Lorsque les crues du printemps prennent fin, une acidification plus normale se poursuit. Les poissons survivants vieillissent et l'espèce décline lentement jusqu'à l'extinction. Un prélèvement d'eau de lac au milieu de l'été pourra toujours indiquer un niveau élevé mais encore tolérable d'acidité de pH 5 ou moins, mais les dommages ont déjà été faits.

En rédigeant son premier rapport, Harvey insista sur le taux de mortalité qu'il avait constaté dans les lacs du parc Killarny et sur ses causes immédiates. Mais il fit aussi référence aux études suédoises sur l'acidification d'origine industrielle et à celles qui avaient confirmé en 1960 l'impact de la fonderie de Sudbury sur les lacs de la région. À l'époque, on croyait généralement que les contaminants acides en provenance de sources telles que les fonderies ne subsistaient que 10 heures dans les airs et l'étude effectuée dans la région de Sudbury ne portait que sur des lacs situés dans un rayon de 15 milles, distance que les agents polluants pouvaient parcourir en 10 heures par la voie des airs. Harvey soulignait que selon les études suédoises ces agents pouvaient subsister plus longtemps et parcourir de plus grandes distances. Les lacs du parc Killarny se trouvant sous le vent de Sudbury, ajoutait-il, « il est possible que d'importantes quantités de dioxyde de soufre émises à Sudbury soient transportées dans la région des montagnes La Cloche. » Au contact de l'eau, le dioxyde de soufre se transforme en acide sulfurique et la fonderie en rejetait 2.6 millions de tonnes par année dans les airs au cours de la période précédant la rédaction du rapport de

---

1. BEAMISH, R.J. et H.H. HARVEY, « Acidification of the La Cloche Mountain Lakes, Ontario, and Resulting Fish Mortalities », *Journal of the Fisheries Research Board of Canada*, vol. 29, 1972, 1131–1143.

Harvey. Il ajouta que les sols des montagnes La Cloche étant inhabituellement faibles en agents neutralisateurs, des quantités plus importantes d'acides pourraient se déverser dans les lacs une fois les sols épuisés. Plusieurs éléments devaient être étudiés de toute urgence dans la région acidifiée des lacs du parc Killarny, concluait-il. Ceux-ci agonisaient.

Les événements ultérieurs et les recherches entreprises sur le tard devaient à une exception près confirmer la justesse des conclusions de Harvey. Le choc par acidification, la pollution aérienne et l'affaiblissement des sols se retrouvent non seulement dans la région du parc Killarny mais aussi dans les lacs d'une grande partie du centre ontarien et de l'est de l'Amérique du Nord. Lorsque Harvey rédigea son rapport, les poissons et les lacs agonisaient déjà sur des centaines de milliers de milles carrés. La géographie et la géologie expliquent en partie ce phénomène, surtout en Ontario. Le sol y est mince et repose sur un lit de roc précambrien vieux d'un million d'années qui en jaillit par dalles gris-rose dénudées si familières aux vacanciers, aux constructeurs de routes et aux géologues. Le roc, essentiellement formé de granite, de quartz et de fer, y est dur et durable. Il ne s'érode pas facilement et ne contient pas les éléments, et au premier chef le calcium, qui favorisent la fertilité. Il ne renferme pas d'importantes quantités d'éléments chimiques capables de réagir contre les acides faibles ou de neutraliser ceux qui se déversent à travers les sols minces dans les lacs et les rivières. Dans les termes des géologues, ces sols manquent de « capacité tampon. »

Il en découle que des milliers d'années d'érosion n'ont pas suffi à déposer dans les lacs et les rivières plus qu'une quantité minimale de régulateurs chimiques. L'eau des lacs est douce et son alcalinité, faible. Un lac typique, contenant 500 unités d'alcalinité[2] ou de capacité tampon, peut absorber en toute sécurité durant cinq ans des pluies modérément acides, d'un niveau de pH 4.4, par exemple, avant que sa capacité tampon ne commence à décliner. Lorsque l'alcalinité disparaît, les eaux des lacs commencent à s'acidifier. Plus des trois quarts des lacs du Bouclier précambrien, de la baie Georgienne à la rivière

---

2. Ontario Ministry of the Environment, *Effects of Acid Precipitation on Precambrian Freshwaters in Southern Ontario*, avril, 1978.

Ouataouais, renferment beaucoup moins de 500 unités d'alcalinité et le niveau d'acidité des pluies qui y tombent depuis
au moins une décennie atteint moins de pH 4.4 en moyenne.
L'équilibre géologique et chimique qui y existe depuis 100 000
ans se trouve donc soumis à rude épreuve. Un rapport du
gouvernement ontarien, paru au milieu de 1979[3], souligne que
« si le déversement de matières acides qu'on a constaté récemment
dans les lacs de la région de Haliburton se poursuit, l'alcalinité
de plusieurs de ces lacs disparaîtra dans 5 à 10 ans. » Une fois
l'alcalinité disparue, il suffit d'une légère quantité d'acide pour
que ces lacs entreprennent une glissade rapide vers l'acidification.

Le nombre des lacs menacés ou ayant dépassé le point de
non-retour dans le centre de l'Ontario permet de constater les
implications des pluies acides qui tombent sur un sol mince.
Dans un rayon de 160 milles de Sudbury, par exemple, 20 pour
cent des 209 lacs étudiés presque par hasard ont atteint le seuil
critique, comme disent les scientifiques. Le pH des ces lacs est en
moyenne inférieur à 5, — et il se pourrait qu'il atteigne 4, un
niveau d'acidité 1 000 fois supérieur à celui de l'eau neutre, —
durant le choc des crues acidifiées du printemps. Dans plusieurs
cas, ces lacs sont vides de poissons. La moitié d'entre eux sont
vulnérables, leur capacité tampon est faible, leur population de
poissons limitée et déclinante, et ils s'ajouteront dans 10 ans tout
au plus à la liste de ceux qui ont atteint le seuil critique. Dans
cette région de 3 200 milles carrés, le taux de métaux toxiques est
supérieur aux normes gouvernementales dans 15 pour cent des
lacs et les poissons ne peuvent y assurer leur survie. Les 400
milles carrés de superficie en eau de cette région ont vu leur pH
décliner de .1 par année depuis au moins la dernière décennie.
En d'autres termes, leur niveau d'acidité augmente de 10 fois par
décennie. La lecture des statistiques peut fasciner tout en les
terrorisant, chaque vacancier, agent touristique, écologiste
ou politicien qui se soucie de la région. Toute cette information
se trouve dans un gros livre vert préparé par le ministère
provincial de l'Environnement en 1977, et discrètement publié en
1978 sous le titre *Extensive Monitoring of Lakes in the Greater
Sudbury Area 1974-1976*[4]. Le rapport comprend une grande

---

3. ONTARIO MINISTRY OF THE ENVIRONMENT, *Legacy*, vol. 8, n° 1, 1979.

4. ONTARIO MINISTRY OF THE ENVIRONMENT, *Extensive Monitoring of Lakes in the
   Greater Sudbury Area, 1974-1976*, 1977.

carte géographique où sont indiqués les lacs et leur niveau d'acidité. La plupart des vacanciers comme la plupart des citoyens ignorent son existence.

Portant sur Sudbury, cette étude ne traite que d'une partie de la province et ne donne qu'un exemple restreint des dommages. Le long de la frontière manitobaine, à près de 1 000 milles au nord-ouest dans la nature sauvage et reculée de l'Ontario, dans ce qu'on appelle l'Experimental Lake Area, le pH moyen de 109 lacs atteint 6.5 et décline. Le niveau de quelques-uns d'entre eux est bien pire. Au cours d'un mois typique, en juillet 1977 par exemple, le pH moyen de la pluie acide atteignait 4,5. Mais ces lacs sont éloignés ; au sud, dans les régions achalandées du sud de l'Ontario, à quelques heures de voiture du cœur urbain de la province, les lacs sont acidifiés et déclinent. Près de Dorset, par exemple, sur la frontière entre Muskoka et Haliburton, les conditions sont similaires mais les pluies encore plus acides. Les chutes de neige y ont atteint un niveau sans précédent de 2.97 au cours de l'hiver 1976-77 ; elle était aussi acide que le vinaigre. En Ontario, en fait, le niveau d'acidité des pluies atteint en moyenne pH 4, un niveau plus de 10 fois supérieur à celui de la pluie normale, plus de 1 000 fois supérieur à celui de l'eau neutre dans l'ensemble du Bouclier précambrien, là où la géographie et la géologie sont le moins aptes à résister. La liste des lacs où tombe cette pluie en comprend des dizaines de milliers dont plus de 100 ont dépassé le seuil critique, et des centaines, voire des milliers de ces lacs sont susceptibles d'atteindre ce seuil dans 10 à 20 ans.

L'Ontario n'est pas seul en cause. À l'exception d'une mince bande de 50 milles le long du fleuve Saint-Laurent, sa voisine, la province de Québec, repose presque entièrement sur le Bouclier précambrien. Le pH moyen des rivières qui se jettent dans la baie James et la baie d'Hudson atteint 6.2 et, au printemps, de 4 à 4.7. Les lacs et les rivières s'acidifient de même à l'est, sur la côte atlantique, surtout en Nouvelle-Écosse et à Terre-Neuve dont les lits de roc sont de dur granite et les sols minces. Il est intéressant de souligner que le déclin y a été constaté dès 1957 lorsque le biologiste Eville Gorham effectua des relevés dans 16 lacs des environs de Halifax et découvrit que leur pH moyen atteignait 6.5. De nos jours, le niveau d'acidité de ces lacs a augmenté de 10 à 1 000 fois et empire rapidement. Leur capacité tampon est presque épuisée. Dans l'extrême sud-est de la côte de la Nouvelle-Écosse, le biologiste Walton Watt, des pêcheries fédérales, a presque abandonné tout espoir de trouver du saumon de l'Atlantique dans les neuf principales rivières qui s'y jettent. La Mersey, la Roseway, la Sissiboo et la Tusket, dont le pH est inférieur à 5, en sont vides alors qu'elles en ont regorgé durant 200 ans. Les saumons, à l'instar de ceux qu'a tenté d'implanter Harold Harvey dans le lac Lumsden en Ontario, ne peuvent se reproduire dans des eaux mêmes modérément acides. À défaut de jeunes qui reviennent instinctivement depuis l'Atlantique, la pêche au saumon disparaît. La plupart des truites y sont aussi disparues. Seules les anguilles semblent survivre.

La géologie et la température ignorent les frontières politiques. Dans le parc de 6 millions d'acres des Adirondacks de l'État de New York, 170 lacs sont morts d'acidification et ne renferment pas le moindre poisson. Ces 170 lacs ne constituent qu'un échantillonnage restreint des 2000 lacs qui doivent encore être examinés. Les Adirondacks se trouvent à une journée de voiture pour plus de 55 millions de citadins et des millions d'entre eux s'y rendent, ainsi que dans les montagnes voisines, pour se détendre, pêcher et y passer leurs vacances là où il est permis de le faire. Les Adirondacks ressemblent de façon frappante au centre de l'Ontario. Les lacs de montagne des Adirondacks étaient virtuellement neutres entre 1929 et 1937; seuls 4 pour cent d'entre eux avaient un pH inférieur à 5. De nos jours, le pH de 51 pour cent des lacs dont l'altitude est supérieure à 2000 pieds atteint moins de 5, et dans 90 pour cent des cas, aucun poisson n'y vit. Le pH moyen de la pluie qui tombe sur les Adirondacks atteint 4.

Plus au sud, dans les montagnes Shenandoah et Blue Ridge où un sol mince recouvre un lit de roc dur de faible capacité tampon, l'alcalinité des rivières et des lacs est basse. En Caroline du Nord, un État dont on ignorait la grande sensibilité à l'acidification, on a découvert des eaux de capacité tampon et d'alcalinité faibles dans 83 pour cent des 43 comtés où l'on a effectué des relevés; elles ne disposaient que de 200 unités pour faire face aux pluies acides les moindrement durables [5]. On y a

5. HENRY, George R., *Acidification of Aquatic Ecosystems: Ecosystem Sensitivity and Biological Consequences*. Une intervention au séminaire sur les précipitations acides le 2 novembre à Toronto.

aussi mesuré des pluies acides de pH 4.5. Il est possible qu'elles tombent depuis plusieurs années. De nos jours, les chercheurs s'y consacrent à la faune aquatique et craignent le pire.

Il existe un ensemble de lacs près de Jacksonville, en Floride, dont le pH atteint de 4.7 à 5.5. Le pH d'un deuxième ensemble, près du lac Okichobee, atteint 6.5. « Il s'agit évidemment là d'un processus non naturel, devait affirmer le scientifique Eric Edgerton, de l'Université de la Floride, à l'un des auteurs au cours d'une rencontre à Washington à la fin de 1979. Essentiellement sablonneux, les sols ont une faible capacité tampon... L'acidité des précipitations correspond à celle des lacs. Et nous n'avons pas encore étudié les poissons. » Dans le Minnesota, au nord, le pH de près de 1 000 lacs a décliné et les études effectuées sur la mortalité des poissons laissent entrevoir des signes avant-coureurs : les truites sont absentes et certaines années manquent dans les classifications par âge. Les grands espaces de l'Ouest ne sont pas davantage à l'abri : les chercheurs William Lewis et Michael Grant, de l'Université du Colorado, ont relevé une acidification croissante du bassin hydrographique de Como Creek, dans les sauvages Indian Peaks qui chevauchent la division continentale des Rocheuses.

Certains aliments parmi les plus importants pour les poissons sont les moins tolérants à l'acidité. En Suède, en Norvège et dans les Adirondacks, on a découvert que certains invertébrés dont l'eau constitue l'habitat, tels que les éphémères et les plécoptères, disparaissent lorsque l'acidité atteint pH 6. Les truites peuvent survivre quelque temps à ce niveau d'acidité, mais doivent chercher une nourriture de remplacement. Les crevettes d'eau douce, autre aliment habituel des poissons, sont également vulnérables. Au fur et à mesure que les recherches aboutissent, la liste des insectes aquatiques sensibles au déclin du pH s'allonge. Lorsque le niveau d'acidité des eaux devient inférieur à pH 5.5, les palourdes, les escargots et les écrevisses disparaissent soit parce que leurs coquilles sont dissoutes par les acides, soit parce qu'ils ne parviennent tout simplement pas à absorber suffisamment de minéraux essentiels pour les former. Les quantités de plancton sont réduites à un pH inférieur à 6. On a même découvert des bactéries et des moisissures, qui aident à la décomposition de matière morte telle que feuilles et débris de nourriture digestibles par les poissons et les invertébrés, souffrant du choc sous l'effet des acides. On soupçonne la mort par acidification des bactéries et des moisissures d'être l'une des causes d'eaux anormalement calmes, signe de l'acidification d'un lac. Incapables de se décomposer, les rebuts et la matière morte s'accumulent au fond de l'eau plutôt que de se scinder et de se disperser de façon à lui donner sa couleur caractéristique.

Les minuscules algues qui vivent en suspension dans les eaux saines des lacs se nourrissent de matière flottante en décomposition. Les algues, ou phytoplancton, produisent de la nouvelle matière organique pour l'ensemble de la chaîne alimentaire aquatique. Mais ces producteurs fondamentaux de vie sont décimés par l'acidification. Cette absence d'algues contribue peut-être aussi à la clarté glaciale des eaux acidifiées bien que l'impact en soit de même ressenti par les végétations plus imposantes, quelquefois à leur profit, mais souvent au détriment du lac. Les sphaignes croissent d'une façon anormale et dense au fond du lac Colden, dans les Adirondacks, dont le niveau d'acidité a augmenté de 10 fois en deux décennies, alors qu'elles n'y croissaient pas il y a 30 ans. Tressé en un filet serré, cet « Astro-turf » de mousse et d'autres algues anormalement florissantes interdit la circulation dans l'eau de la matière en décomposition, réduisant l'activité bactérienne productrice d'oxygène. Il s'y est développé un nouvel environnement exempt d'oxygène où des bactéries nouvelles génèrent du dioxyde de carbone, du méthane et de l'hydrogène sulfuré à partir des sédiments. Les gaz y jaillissent en grosses bulles, causes probables des odeurs de dépotoir qui remontent à la surface de certains lacs acidifiés, durant la saison chaude.

Ce processus de décomposition, appelé oligotrophication, implique une neutralisation réduite des ions d'acide par la communauté biologique décimée, donc une dégénérescence accrue des processus naturels qui deviennent moins aptes à contrecarrer l'acidification. Ce processus s'accélère sans cesse et se produit dans une eau qui n'est pas encore suffisamment acidifiée pour être fatale à la plupart des espèces de poissons [6]. Mais tout en accélérant l'acidification, il les affame ainsi que tout ce qui vit dans le lac.

6. Grahn, O. et al., « Oligotrophication — A Self-Accelerating Process in Lakes Subject to Excess Acid », Ambio, vol. 3, n° 2, 1974.

Le processus d'oligotrophication agit lentement et plusieurs lacs acidifiés n'ont pas encore perdu la totalité de leur capacité tampon. Les chercheurs découvrent cependant des lacs vivants dont les poissons disparaissent de plus en plus. L'aluminium pourrait constituer la réponse à cette mort apparemment prématurée des lacs. Métal le plus abondant de la planète, il sert normalement de liant pour des centaines d'autres métaux qu'il retient ensemble dans les sols et dans les rocs. Il joue ainsi un rôle dans les mécanismes de régulation qui ont permis aux sols et aux lacs d'endurer des siècles de pluie naturelle légèrement acidulée. Trois décennies de pluies anormales ont cependant suffi à rompre ces liaisons et à augmenter les concentrations d'aluminium lessivé dans les lacs. Dans une eau préalablement acidifiée, l'aluminium lui-même se transforme en un complexe plus acide que ne peut l'indiquer l'échelle pH. L'aluminium est toxique dans l'eau même à des niveaux d'acidité qui ne sont habituellement pas dommageables à la plupart des poissons. 0.2 milligrammes d'aluminium dans un litre d'eau dont le niveau d'acidité atteint pH 5 suffit à brûler les branchies des poissons. Cette même quantité d'aluminium dans une eau beaucoup moins acidifiée est fatale aux poissons plus sensibles comme la truite ou le saumon[7]. Les chercheurs qui analysent les lacs acidifiés des Adirondacks, de Suède et de Norvège y découvrent aussi couramment des niveaux élevés d'aluminium. Au printemps, il ne leur est même pas nécessaire de procéder à des analyses : ils peuvent apercevoir les concentrations d'aluminium lessivé du sol former un bouclier à la surface des lacs. Ainsi que l'affirme un biologiste de l'Université Cornell, Carl Schofield, qui a consacré une décennie à étudier les accumulations d'aluminium dans les lacs des Adirondacks : « À cause de l'écoulement rapide de ce poison qu'est l'aluminium à la surface des lacs où il forme une masse relativement solide, les poissons trouvent parfois refuge au fond des lacs les plus profonds avec une bonne réserve d'oxygène. Mais dans les lacs moins profonds, ils se retrouvent

---

7. Brodde, Almer *et al* in *Sulphur in the Environnement : Part II : Ecological Impacts*, J.O. Nriagu, ed., John Wiley & Sons Inc., New York, 1978 ; et Kronen C.S. et Schofield, « Aluminium Leaching Response to Acid Precipitation : Effects on High-Elevation Watersheds in the Northeast », *Science* **204**, 1979 : 304-305.

dans un piège meurtrier. Ils peuvent soit mourir par manque d'oxygène au fond ou par les acides et l'aluminium à la surface[8]. » Les scientifiques ont découvert dans les États de New York, du Maine et de la Floride des concentrations d'aluminium de 20 à 150 fois supérieures à la norme dans les sédiments du fond des lacs acidifiés, liées en combinaisons chimiques aux substances nutritives qui flottent habituellement librement.

Le cuivre, le cadmium, le zinc et le plomb se déversent eux aussi en concentrations élevées dans les lacs, soit libérés des sols par les pluies acides soit contenus dans celles-ci, et y apportent leurs propres périls. En suspension dans l'eau, ils sont absorbés par les poissons à travers les branchies puis se concentrent dans le foie, les tissus et le sang. Le diagnostic : empoisonnement aux métaux toxiques.

Comme le sait de nos jours chaque Canadien, nos lacs contiennent du mercure. Le gouvernement ontarien publie chaque année depuis 1977 une liste des lacs dont les pêcheurs ne peuvent plus consommer les poissons qu'ils y capturent. Une quantité aussi minime qu'1 partie de mercure pour un million dans la chair de poisson dépasse déjà ce que peuvent consommer sur une base régulière les femmes enceintes et les enfants. Le mercure s'accumule de façon permanente dans le corps humain et peut, à plus de 10 parties pour un milliard, provoquer de subtils troubles nerveux, des problèmes plus évidents comme un rétrécissement du champ visuel ou la perte d'équilibre, le désordre mental ou une mauvaise articulation, puis enfin la paralysie et la mort. Une seule cuiller à table de mercure dans une étendue d'eau d'une profondeur de 15 pieds couvrant un terrain de football suffit à rendre les poissons qui y vivent impropres à la consommation. Les pluies acides ne sont pas seules responsables du mercure. Au moment de la publication de la première liste des lacs ontariens intoxiqués au mercure, on croyait que ces lacs devaient leur mercure aux industries, surtout dans le secteur des pâtes et papiers, qui y avaient déversé des rebuts contaminés au cours des années précédentes, plus particulièrement dans la région intensément polluée de la rivière

---

8. Scofield, C.L., « Forecast : Poisonous Rain », *Saturday Review*, 9 février 1978.

English-Wabigoon et du lac St. Clair. De nos jours, toutefois, la liste comporte plusieurs centaines de lacs dont bon nombre sont situés loin de toute source de mercure connue. La liste n'indique pas la cause de cette augmentation mais la réponse se trouve presque certainement dans les pluies acides. Une partie de ce mercure parvient aux lacs à cause de l'air pollué et provient des mêmes sources que le dioxyde de soufre. Le charbon, pour sa part, contient des quantités importantes de mercure et plus de 80 000 tonnes métriques retombent chaque année sur la planète.

Le mercure existe aussi à l'état naturel dans le sol et l'eau, surtout dans le Bouclier précambrien où le roc a une haute teneur naturelle en mercure. Normalement, ce mercure demeurerait lié en combinaisons chimiques dans le roc ou dans l'eau comme il l'a fait depuis des temps immémoriaux. Mais lorsque l'eau devient acide, elle entraîne par érosion le mercure vers les lacs où il se transforme en une menace libre d'attaches [9]. Bien que de nos jours la réaction chimique soit incertaine, le résultat est clair. En Ontario, plusieurs lacs intoxiqués au mercure ont aussi un haut niveau d'acidité. Au nord-ouest du Québec, où les rivières et les lacs sont en moyenne légèrement acidifiés, les poissons contiennent beaucoup plus de mercure que la limite acceptable. Certains lacs dont le pH est bas, tels les lacs Cramberry et Stillwater, dans les Adirondacks, renferment des achigans à petite bouche dont la teneur en mercure est anormale de même qu'elle est élevée chez les truites, les dorés et les brochets examinés dans plus de 1 000 lacs vulnérables aux acides dans la région de canotage des eaux limitrophes du Minnesota. En Scandinavie, l'association des hauts niveaux d'acidité et des concentrations importantes de métaux est monnaie courante.

Est-il possible de guérir les lacs une fois ceux-ci transformés en bains d'acides ? On a investi beaucoup d'efforts et d'espoirs dans la recherche d'un traitement mais, en fait, à l'instar du cancer, la réponse tient dans la prévention et non dans la réaction. Le traitement peut, au mieux, réussir dans des cas individuels ou retarder une fin prématurée, mais il équivaut à

---

9. BROUZES, R.J. *et al.*, *The Link Between PH and Mercury Content of Fish*. Une intervention devant l'U.S. National Academy of Sciences National Research Council Panel on Mercury, Washington, D.C., 3 mai 1977.

combattre un mal par un autre, potentiellement dommageable ou limité. Peu après la construction par la fonderie de l'Inco Ltd de Sudbury de sa cheminée géante de 1 200 pieds qui devait éloigner sa pollution aérienne, une équipe du ministère de l'Environnement installée dans cette ville commença à déverser de la chaux dans certains lacs des environs. L'idée n'était pas nouvelle puisqu'en Europe on fertilisait l'eau et on provoquait une augmentation des populations de poissons dans les sources par ce moyen depuis un siècle. Dans la région de Sudbury, on avait l'intention de déverser suffisamment de chaux, un matériau basique ou alcalin, dans quatre lacs acidifiés pour les neutraliser dans l'espoir d'y encourager la flore et la faune aquatiques. Davantage que d'une régénération, il s'agissait d'une tentative de résurrection. Les lacs Middle et Lohi étaient petits, leurs eaux intensément acidifiées se trouvaient à moins de dix milles de la fonderie de l'Inco, et ils étaient représentatifs de centaines d'autres lacs dans la région. Entourés du lit de roc nu, leur accès limité, ils contenaient d'importantes concentrations de métaux et aucun poisson n'y vivait. Des équipes vêtues de combinaisons protectrices et de masques sillonnèrent au cours des étés 1973 et 1974 de long en large le lac Middle à bord de leurs bateaux à moteur et y déversèrent de la chaux et du calcaire concassé. À la fin de l'été 1974, elles y avaient déversé près de 38 tonnes de poudre blanche et de boue humide.

En 1975, on vit poindre une lueur d'espoir. L'acidité du lac Middle avait été réduite de 100 fois ; les concentrations toxiques de nickel, de cuivre et de zinc semblaient plus faibles puisque le calcaire capturait les métaux et les entraînait vers le fond. On dut déverser de nouveau autant de chaux dans le lac Lohi puisque celui-ci redevenait déjà fortement acidifié, mais dans les deux lacs les populations de certains organismes aquatiques tels les insectes et les bactéries essentielles montraient des signes encourageants qui laissaient entrevoir la restauration de la pêche. Les chercheurs expérimentèrent des fertilisants pour augmenter le nombre des organismes aquatiques et se servirent de deux lacs moins fortement acidifiés comme contrôles. Les expériences suédoises avaient démontré la cherté du chaulage qui s'élevait à bien au-delà de 230 $ par acre de surface de lac, et que ce processus risquait d'empoisonner les lacs avec d'autres contaminants. Son efficacité semblait aussi très limitée dans le temps, mais le ministère alla de l'avant.

En août 1976, le ministère déversa 2 500 petits achigans à grande bouche dans le lac Middle, première étape de la restauration de la pêche. L'acidité de l'eau était très inférieure à celle de la pluie normale et à peine supérieure à la neutralité. Les conditions semblaient idéales. Mais en 1977, aucun poisson n'avait survécu. Le lac Lohi, malgré un chaulage qui l'avait presque neutralisé, perdit de la même façon 1 200 truites de ruisseau en moins de 4 mois. Les niveaux de cuivre dans le lac s'étaient de nouveau élevés et on soupçonna que les poissons en avaient été empoisonnés. Imperturbables, les chercheurs retournèrent aux lacs en 1977 avec un nouveau chargement de truites et montèrent les expériences les plus sophistiquées. Ils construisirent près d'un lac neutre avoisinant des piscines de plastique où ils déversèrent d'abord les truites pour les « acclimater » en attendant la suite. Les truites y furent bien alimentées et leur eau renouvelée. Aucune ne mourut. Puis on en transvida la moitié dans les lacs Middle et Lohi. Pour reproduire les conditions, on fit effectuer à la moitié destinée au lac neutre une promenade aussi longue et ardue par les routes de l'arrière-pays et on les plaça dans d'énormes cages soigneusement construites. On immergea lentement les cages de façon à éviter les brusques changements de température. Des plongeurs s'occupaient de nourrir les truites, d'enlever celles qui mouraient et de prélever régulièrement des échantillons d'eau. Aux lacs Middle et Lohi, ces lacs « régénérés par le chaulage », les plongeurs travaillèrent peu. Moins de 24 heures plus tard, les truites nageaient dans la confusion ; après moins de 48 heures, certaines étaient mortes. Au lac neutre qui servait de témoin, les plongeurs s'affairèrent tout l'été à nourrir les poissons en bonne santé dans leurs cages de fil de fer.

Aux lacs Middle et Lohi, les poissons étaient morts empoisonnés par le cuivre, le zinc et le nickel, ceux-ci agissant seuls ou en combinaison. Le chaulage n'était pas parvenu à réduire les concentrations de métaux toxiques des sédiments et les pluies acides continuelles y avaient déversé de nouvelles surdoses en lessivant davantage de métaux du sol et des airs. Un an plus tard, un scientifique de premier plan du ministère de l'Environnement devait reconnaître que « le chaulage est au mieux d'une efficacité très limitée. Nous avons perdu ces lacs et nous devrons probablement compter qu'ils sont morts pour toujours. » Les chercheurs étudient toujours le chaulage des lacs modérément acidifiés, mais comme le soulignait l'office suédois de protection de l'environnement en mars 1979, le chaulage des lacs au moment exact du choc printanier demeure presque insurmontable. Au milieu de l'été, il est trop tard pour sauver les poissons qui pondent et frayent au printemps. Le chaulage du milieu de l'été devrait être répété encore et encore pour sauver les quelques poissons qui auraient pu survivre aux crues du printemps.

Ainsi que l'affirme Gene Likens, professeur à i'Université Cornell et expert en lacs morts d'acidification dans les Adirondacks : « Le chaulage semble n'être qu'un semblant de solution temporaire et à court terme au problème des éco-systèmes naturels et provoque possiblement des effets secondaires. Cette solution équivaut à une injection de morphine avant l'amputation d'une jambe : elle soulagera votre douleur mais vous saignerez quand même à blanc [10]. » La douleur des lacs ne sera pas tellement soulagée par des doses massives de chaux, mais certains optimistes persistent à croire en dépit de l'évidence que le chaulage constitue une cure miracle pour des milliers de lacs morts ou agonisants. Même en cas de réussite, le déversement de produits chimiques dans un environnement pollué découle de la logique d'Alice au pays des merveilles. Prévenir la pollution industrielle demeure la seule solution.

---

10. Likens, Gene, « Acid Precipitation », *Chemical and Enngineering News*, 22 novembre 1976.

# 2

# Les acides
# dans l'atmosphère

Chaque année, il tombe environ 11 onces d'acide sulfurique sur chaque acre du sud de l'Ontario. Cette pluie est habituellement 10 fois plus acide qu'une pluie normale, mais il arrive souvent qu'elle le soit de 15 à 20 fois. En juillet et en août 1979, la pluie qui tombait sur Woodbridge, à la limite de Toronto, contenait en moyenne 100 fois plus d'acide qu'une pluie normale. Mais la pluie normale, avec son pH de 5.6, constitue *de nos jours* un anachronisme dans l'est de l'Amérique du Nord. Il y a déjà plus de deux décennies qu'il n'y tombe plus régulièrement de pluie normale alors que la pluie acide y tombe sans discontinuer. Les relevés effectués à Toronto ressemblent à ceux qui le sont sur une grande échelle autour des grands lacs inférieurs, dans les concentrations urbaines qui s'étendent de Boston à Washington, et même dans les Adirondacks ou sur les côtes escarpées des Maritimes.

Depuis toujours, la pluie naturelle contient une certaine quantité d'acides résultant de gaz tels que l'anhydride carbonique émis par la végétation mais que le contact avec l'air rend extrêmement faible, son pH n'étant que de 5.6. Les volcans, les feux de forêt et la bruine marine produisent de faibles quantités de dioxyde de soufre qui se transforment en acide sulfurique. Mais durant des milliers d'années, la poussière et les éléments chimiques en suspension dans l'air, tels que le calcium et le potassium, ont à toutes fins utiles suffi à neutraliser ces acides. On devait s'apercevoir en examinant récemment de la glace, tombée d'abord en neige il y a 180 ans au Groenland, qu'elle était alors presque neutre. Mais au cours des derniers 50 ans, les phénomènes fondamentaux et naturels de l'environnement ont été modifiés presque uniquement par la demande sans cesse croissante d'énergie et de ressources dans les sociétés industrialisées. Cette modification entraîne des retombées sous forme de pluie de 10 à 100 fois plus acide que la pluie normale[1].

Les Européens le savent depuis au moins 20 ans. Sur l'initiative de la Suède, au début des années 50, près de 175 postes météorologiques furent installés le long de l'ouest et du nord de l'Europe. Les relevés d'éléments chimiques contenus dans la pluie furent régulièrement notés et transmis aux pays participants. En 1960, les relevés indiquaient que le pH de la pluie était passé à 5.5 ou moins alors qu'il était de 6 au milieu des années 50. Le Suédois Svante Oden fit une autre découverte en procédant en 1968 à une révision en profondeur des relevés effectués au cours de la décennie écoulée. Depuis 1956 ou plus tôt encore, des pluies très acides (pH 5) tombaient sur une région qui comprenait alors le sud-est de l'Angleterre, le nord-est de la France et les pays du Benelux. Cette région, en 1966, avait pris une expansion telle qu'elle englobait la totalité de l'Europe de l'Ouest et du Nord, tandis que ses frontières originelles voyaient leur pH atteindre couramment 4 à 4.5. Une seconde région acidifiée, située à l'ouest de l'URSS et en Europe de l'Est, prenait elle aussi rapidement de l'expansion. En 1970, le modèle était solidement fixé et changeait très peu. À De Bilt, en Hollande, on releva un pH de 3.7 pour l'année 1967 et à Pitlochry, en Écosse, on rapporta le 10 avril 1974 l'orage le plus acide qu'on ait relevé

1. Voir LIKENS, Gene, « Acid Rain », *Scientific American*, octobre 1979 ; et COGBILL, C.V., « The History and Character of Acid Precipitation in Eastern North America », *Water, Air, and Soil Pollution* 6, 1979 ; et GRANAT, Lennart, « On the Relation Between PH and Chemical Composition in Precipitation », *Tellus XXIV*, 1972, 6.

en Europe, avec un pH de 2.4, l'équivalent du vinaigre. Au même moment, la Norvège et un site isolé d'Islande rapportèrent des pH presque aussi bas.

Dès la fin des années 60, les Européens, et surtout les Scandinaves, étaient conscients de l'effet de ces pluies acides sur les lacs et les poissons, et les causes de ces pluies paraissaient de plus en plus évidentes : il s'agissait des tonnes de dioxyde de soufre polluant que les usines et les centrales énergétiques alimentées au charbon rejetaient dans les airs d'un bout à l'autre de l'Europe. Les scientifiques européens connaissaient et mesuraient depuis longtemps la pollution de l'air par émission de dioxyde de soufre, mais n'y voyaient toujours qu'un problème plutôt passager et circonscrit. Avant 1950, on croyait que les oxydes ne duraient guère plus de 5 ou 6 heures avant, selon toute apparence, de se dissoudre dans l'atmosphère et de s'y éparpiller jusqu'à n'être plus que quantités négligeables ou de retomber sur terre. En 1963, toutefois, des météorologues tels que C.E. Junge, un Américain, affirmèrent que la pollution pouvait durer beaucoup plus longtemps, c'est-à-dire sept jours au maximum. En 1970, Oden et d'autres chercheurs établirent la quantité de dioxyde de soufre en suspension dans l'air déversé par l'Europe sur la Scandinavie en cinq jours. Des scientifiques norvégiens, par exemple, découvrirent qu'au cours d'une période de 8 jours, 4 000 tonnes de sulfate et d'acide sulfurique en provenance du centre et de l'ouest de l'Europe tombèrent sur une région de 12 000 milles carrés en Norvège.

En 1973, les chercheurs pouvaient rendre compte de 25 millions de tonnes de polluants provenant chaque année surtout du centre de l'Angleterre, de la vallée de la Ruhr, des champs carbonifères de l'Allemagne de l'Est, du sud de la Pologne et de la Tchécoslovaquie. Il était maintenant clair que les émissions polluantes s'accumulaient dans l'atmosphère plus rapidement qu'il ne leur était possible de se disperser ou de retomber sur terre. Elles avaient raison des régulateurs chimiques naturels de l'air et retombaient en pluies acides ou en particules de sulfate là où l'air choisissait de les entraîner. En fait, l'atmosphère recevait davantage d'émissions de dioxyde de soufre qu'il en retombait. Il en découlait une accumulation progressive de masses d'air acidifié de façon permanente qui recouvrent la moitié du continent. En 1969 et en 1976, la Suède imposa à ses industries de réduire leurs émissions de dioxyde de soufre et amorça de longues négociations avec ses voisins situés sous le vent pour qu'ils prennent des mesures équivalentes. L'Angleterre, où des milliers de personnes étaient mortes au cours des années 50 à cause de brouillards meurtriers chargés de dioxyde de soufre, imposa des contrôles sur l'usage du charbon comme carburant en 1964, et encouragea une plus grande utilisation du gaz naturel.

Le dossier des pluies acides en Amérique du Nord est beaucoup moins élaboré bien que les conséquences risquent d'y être pires qu'en Europe et en Scandinavie. Même de nos jours, le réseau de surveillance des pluies acides demeure incapable d'en déterminer en détail les données. Mais nous savons qu'avant 1930, année où les premiers échantillons ont été prélevés, nos pluies étaient propres, du moins dans l'État de New York, en Virginie et au Tennessee. En 1939, un relevé effectué au cours d'un orage dans l'État du Maine indiqua un pH de 5.9, mais en 1955 la pluie avait quelque peu aigri. Il arrivait souvent que la région qui s'étend du Maine au New Jersey se trouve sous un nuage 10 fois plus acide que la normale et ce nuage s'allongeait vers l'ouest jusqu'en Ohio. En 1966, le niveau de l'acidité en suspension dans l'air, de New York à la Nouvelle-Angleterre, était tombé à 4.4 et il fallait se rendre jusqu'en Caroline du Sud pour relever des pluies régulièrement propres.

Curieusement, le réseau chargé par le gouvernement américain d'effectuer les relevés qui avaient permis de déceler ces modifications depuis 1959 a été abandonné en 1966. Mais on peut constater à partir des prélèvements effectués par les universités, certains États et, à titre expérimental, par le gouvernement fédéral, que la situation s'était encore dégradée en 1973. Sauf à l'extrémité sud de la Floride, il ne tombait une moyenne annuelle de pluie propre nulle part à l'est du Mississippi. Les régions situées au nord du Tennessee étaient toutes soumises à des pluies 10 fois plus acides que la pluie propre. Dans le nord de l'État de New York ainsi que dans le Connecticut, les pluies étaient en moyenne 50 fois plus acides que leurs niveaux de propreté de 35 ans plus tôt. À une exception près, ces conditions sont celles qui prévalent de nos jours. La région où les pluies sont 10 fois plus acides que la normale s'étend sans cesse. L'acidité dans l'atmosphère atteint un plafond temporaire quelque part entre un pH de 4.5 et un pH de 4 : il faut beaucoup plus de dioxyde de soufre pour abaisser le pH à ce niveau qu'il en faut pour le faire passer de 5.6 à 4.6. Mais ainsi qu'une tache d'huile dans l'océan, plutôt que de se concentrer en une petite flaque, l'acidité s'étend davantage à une vitesse et à une profondeur idéales. À tous les 5 ou 10 ans, le suaire acide s'allonge de centaines de milles vers le sud et l'ouest depuis les États du nord.

Bien que le dioxyde de soufre soit le principal polluant contenu dans les pluies acides, les appareils de contrôle du poste de Hubbard Brook, dans l'État du New Hampshire, y ont décelé la présence d'autres éléments chimiques tels que le potassium, le magnésium et l'azote. Les scientifiques de Hubbard Brook ont évalué à peut-être 15 pour cent de l'acidité des pluies la responsabilité de l'oxyde d'azote ; à l'instar du dioxyde de soufre, celui-ci peut se transformer en acide nitrique faible dans les airs. Les plantes en décomposition, l'action des bactéries et la foudre constituent les sources principales d'azote qui existe tant dans les sols et la végétation que dans l'air lui-même. Les analyses effectuées à Hubbard Brook ont permis de découvrir entre 1964 et 1974 un renversement saisissant : bien que l'acidité des pluies n'ait augmenté que de très peu, le pourcentage d'acide sulfurique a connu une chute tandis que celui de l'acide nitrique doublait ; celui-ci était devenu responsable du tiers de l'acidité. La confirmation de cette découverte prit encore quatre ans, mais les scientifiques de Hubbard Brook avaient déterminé la deuxième principale source d'acidité des pluies acides et établi la courbe de sa sinistre progression. Dans une large mesure, ils étaient ignorants du fait que le Suédois Oden avait découvert une situation similaire en Europe et en Scandinavie dès 1968.

En 1978, l'accumulation des données permettait d'affirmer que l'oxyde d'azote contribuait d'une façon substantielle et de plus en plus importante à l'acidité. L'acide nitrique constituait même la principale composante de l'acidité dans des lieux aussi lointains que Pasadena, en Californie, où la pluie avait un pH moyen de 4. Il n'existe pas de fonderie de fer à Pasadena et le vent n'y souffle pas d'une façon régulière depuis les principales masses d'air pollué. Les centrales énergétiques de la région, alimentées aux carburants fossiles, utilisent du charbon de l'Ouest américain, notoirement faible en soufre. Mais auto- mobiles et camions circulent à Pasadena. L'acide nitrique est res- ponsable pour environ 30 pour cent des pluies acides aux États- Unis tandis que les moyens de transport le sont pour près de 50 pour cent. L'autre 50 pour cent provient de la combustion des carburants fossiles et plus particulièrement du charbon. Au Canada, plus de 60 pour cent des oxydes d'azote proviennent des automobiles et des camions tandis que les centrales énergétiques contribuent pour environ 10 pour cent et les autres combustions industrielles pour environ 20 pour cent. Mais ce n'est pas le cas des fonderies du genre de celle de l'Inco, à Sudbury. Les fonderies de minerai non ferreux ne rejettent que des quantités négligeables d'oxydes d'azote. Aux États-Unis, les moyens de transport sont responsables pour 40 pour cent, les centrales électriques pour 30 pour cent, et les autres sources pour 20 pour cent. Les oxydes d'azote apparaissent lorsque la chaleur intense de la combustion fait aussi brûler une partie de l'azote contenu à l'état naturel dans l'air, dont il constitue 78 pour cent, et le transforme en oxydes. En 1978, les États-Unis ont craché environ 24 millions de tonnes d'oxyde d'azote dans l'atmosphère ; le Canada, environ 2.1 millions de tonnes.

De même que dans le cas du dioxyde de soufre, les deux tiers des sources d'acide nitrique dans les pluies d'Amérique du Nord sont situées à l'est du Mississippi et de la frontière du Manitoba. À quelques exceptions près, lorsque les oxydes d'azote quittent les cheminées ou les tuyaux d'échappement, ils se comportent ainsi que les oxydes de soufre : ils se transforment lentement en acide dans l'air et parcourent rapidement des centaines de milles au-dessus du continent où ils retombent éventuellement. On n'a pas encore découvert toutes les sources d'oxydes d'azote mais il existe de plus en plus de preuves à l'effet que l'usage abusif de fertilisants à base d'azote puisse en être une. Il est cependant clairement démontré que la quantité d'oxydes d'azote augmente beaucoup plus rapidement, passant de 11 millions de tonnes par année en 1950 à 26 millions de tonnes en 1975, que les oxydes de soufre en Amérique du Nord, ce qui est dû en grande partie à l'augmentation continuelle du nombre des automobiles. Les convertisseurs catalytiques maintenant de mise dans les véhicules préviennent l'échappement de monoxyde de carbone et d'hydro- carbures, mais sont loin d'être aussi efficaces contre l'oxyde d'azote. Celui-ci réagit enfin avec l'ozone et certains hydro-carbones en présence de la lumière du soleil et forme un smog photochimique, ce genre de brumasse gris-jaune littéralement vivante qui croît dans les masses d'air stagnant au-dessus d'endroits comme Los Angeles, New York, Washington et le sud de l'Ontario et risque de causer de sérieux problèmes respiratoires et d'endommager les récoltes. Chaque année depuis 1976, les scientifiques du Bureau fédéral de l'Environnement atmosphérique ont relevé à Toronto [2] le débit des masses d'air chargé d'ozone en provenance du midwest américain par le biais des Grands Lacs. Ils y ont décelé des niveaux aussi élevés que 200 parties pour un million, plus de deux fois le maximum toléré au Canada, et des milliers de fois le maximum permis aux États-Unis durant 30 minutes. À vingt milles au nord-ouest de Toronto, l'ozone et les oxydes d'azote rejetés par cette ville se transforment en un smog qui perce les feuilles de tabac et constitue pour la santé des humains un danger qu'on n'a pas encore évalué.

Lorsque des scientifiques américains comme Gene Likens et C.V. Cogbill firent paraître leurs saisissants rapports sur la propagation des pluies acides en 1974 et en 1976, ils inclurent le Canada dans leurs données. Aucune région située au sud d'une ligne allant de Thunder Bay à Terre-Neuve ne bénéficiait de pluie « propre » et dans un rayon de 30 milles de Sudbury le pH de la pluie atteignait 4.24, ce qui faisait de cette région du nord de l'Ontario la deuxième plus acide du continent. Les données concernant les pluies acides de Sudbury provenaient d'études canadiennes effectuées dans la région de la fonderie géante aussi tôt qu'en 1960 et de travaux postérieurs à 1970 qui tendaient à démontrer que l'érection de la cheminée géante de 1 200 pieds en 1972 purifierait l'air de la ville assiégée. Dès 1970, le Bureau fédéral de l'environnement atmosphérique évaluait à 7.2 millions de tonnes la quantité annuelle de dioxyde de soufre rejeté dans les cieux canadiens et indiquait quelles en étaient les sources principales : les fonderies, les industries et les raffineries, de même que les centrales énergétiques.

Il eut été logique d'étudier les effets sur l'atmosphère d'une telle quantité de poison dans l'air pollué, mais les gouvernements,

---

2. SHENFELD, L. *et al.*, *Long-Range Transport of Ozone into Southern Ontario*, Ontario Ministry of the Environment, 1979.

surtout régionaux, semblaient peu enclins à aller de l'avant. Il fallut attendre 1976 pour que deux scientifiques du Bureau fédéral de l'environnement atmosphérique fassent enfin paraître, dans une publication technique à faible tirage, une évaluation [3] qui faisait état des inévitables similitudes avec ce qu'on constatait aux États-Unis : d'un bout à l'autre du sud de l'Ontario, les pluies avaient un pH moyen de 5 à 4 ou inférieur, et on avait relevé des pluies plus acides encore. Le Québec constituait une inconnue mais les Maritimes, avec un pH de 5.6, se trouvait sous le seuil de « propreté. »

Le Bureau fédéral procéda à davantage d'évaluations de l'air dans l'est canadien et rapporta pour 1976 une augmentation du taux d'acidité des pluies dans le sud de l'Ontario. Cette même année, le ministère provincial de l'Environnement commença à s'intéresser à l'acidité des pluies ailleurs que dans la région de Sudbury et reconnut dans son premier rapport, paru en octobre 1977, la réalité d'une atmosphère chargée de soufre au-dessus de l'Ontario. À Dorset, à Carnarvon, et près de Bracebridge, localités situées à plus de 180 milles au sud-est de Sudbury, les pluies contenaient de 10 à 50 fois plus d'acides que la pluie « propre » normale. Au cours de l'hiver 1976, une chute de neige à Dorset révéla un pH de 2.97. Ces relevés furent effectués près de cinq ans après le premier cri d'alarme lancé par Harold Harvey à l'effet que les oxydes de soufre en suspension dans l'air signifiaient que des pluies acides tomberaient sur des régions éloignées, et trois ans après que les Suédois aient conseillé aux Canadiens, lors de leur rencontre de Winnipeg, de chercher plus loin les indices révélateurs de l'acidité. Au Canada, et surtout en Ontario, il y avait, au milieu des années 70, beaucoup plus d'experts qui se consacraient à relever la mort des lacs et des poissons sous l'effet de l'acidité qu'il n'y en avait pour mesurer le pH des pluies et l'étendue de leur dévastation. Le Canada semblait prendre énormément de temps à saisir la relation entre les émissions de toute évidence massives de polluants et la capacité des réservoirs d'air régionaux de contenir la contamination sans en être modifiés. Au Canada, on ne publia la liste fédérale officielle des sources de dioxyde de soufre qu'en *1977* !

3. SUMMERS, P.W. et D.M. WHELPDALE, « Acid Precipitation in Canada », *Water, Air and Soil Pollution* 6, 1976.

En réagissant aussi lentement et avec autant de superbe à ce problème, tant le Canada que les États-Unis semblaient décidés à suivre la bonne vieille tradition qu'ils avaient élaborée dans leur attitude face à la pollution des eaux : « loin des yeux, loin du cœur. »

On ne peut malheureusement d'aucune façon cacher les pluies acides. Au Canada, de nos jours, les réserves d'air pur d'autrefois sont aussi formées de dioxyde de soufre qui retombe sur terre où il endommage récoltes et forêts. Les pluies qui tombent sur les régions sauvages de l'Ontario, destinées aux loisirs, ont un pH moyen de 4.1 à 4.3. Plus au sud, à l'écart du Bouclier précambrien, dans le cœur urbain et agricole de la province, les relevés fédéraux font état d'un pH moyen de 3.9 à 4.1, ce qui équivaut aux pires niveaux que l'on trouve aux États-Unis, bien pires que ceux de Scandinavie. En 1979, le gouvernement de l'Ontario ne relevait toujours pas l'acidité des pluies près des fermes et des villes. Le ministère de l'Environnement affirmait qu'il n'en voyait pas la nécessité puisque les pluies acides ne mettaient pas en danger ces régions. Soulignons que les relevés effectués dans la région de Toronto l'avaient été par le gouvernement fédéral. Ainsi que les relevés du gouvernement fédéral le démontrent, par ailleurs, l'Ontario ne bénéficie nulle part à l'est du Manitoba et au sud de la baie James de pluie propre sur une base moyenne annuelle. Le pH moyen des pluies du Québec à la Nouvelle-Écosse atteint 4.5, soit 10 fois le taux d'acidité de la pluie propre. Si la seule région qui ait montré quelque progrès se trouve dans le voisinage immédiat de Sudbury, en Ontario, c'est-à-dire presque à l'ombre de la plus grande cheminée de la planète, c'est que cette cheminée de 1 200 pieds rejette ses gaz ailleurs.

La cheminée géante de la International Nickel Ltd. (Inco), à Sudbury, constitue la source la plus importante de dioxyde de soufre de la planète. Depuis 1978, elle en crache, avec la bénédiction du gouvernement de l'Ontario, 3 600 tonnes par jour, 1.3 million de tonnes par année, soit 1 pour cent de la totalité des sources naturelles ou construites par l'homme, l'équivalent de l'ensemble des émissions en provenance de tous les volcans de la terre au cours de la dernière décennie. Au cours des décennies précédentes, la fonderie en émettait des quantités très supérieures. Le dioxyde de soufre provient des millions de tonnes de roc que l'on extrait sous la ville de Sudbury et que l'on traite selon un procédé qui n'a à toutes fins utiles pas changé durant huit décennies. On y broie et on y fond chaque jour dans d'énormes cuves cinq mille tonnes de roc ; on récupère le nickel en triant d'abord le minerai qui en contient et en le faisant fondre de nouveau. Puis on déverse les scories dans les stries d'une profondeur de 200 pieds qui courent des milles durant depuis la fonderie et les 3 600 tonnes de dioxyde de soufre émis par le roc sous l'effet de la chaleur s'échappent par la cheminée. Des tonnes supplémentaires de dioxyde de soufre s'échappent au niveau du sol à travers les murs, les portes et les plafonds du complexe long de plusieurs coins de rue, et on peut les apercevoir et les sentir durant des milles.

La fonderie de l'Inco est de toute évidence, grâce à sa cheminée géante, et à ses émissions, le plus important pollueur d'air au Canada. Ses émissions comptent pour 20 pour cent du total canadien de 5.5 millions de tonnes de dioxyde de soufre au cours de l'année 1978. Mais l'Inco n'est pas seule en cause. Les fonderies de minerai non ferreux, lorsqu'on ajoute les plus petites fonderies voisines de Falconbridge et de Rouyn-Noranda, au Québec, de même que celles de Thompson, au Manitoba, et de Trail, en Colombie Britannique, sont responsables de près de la moitié des émissions du pays. Ces fonderies jouent un rôle prépondérant tant dans l'économie nationale que dans les ressources en air du Canada. Elles émettent deux fois plus de dioxyde de soufre que l'ensemble de l'industrie. Les moyens de transport, les centrales électriques et d'autres sources de combustion de carburants fossiles sont responsables du dernier quart des émissions. En 1970, au Canada, seules 43 sources de dioxyde de soufre, y compris les omniprésentes agglomérations urbaines, en émettaient plus de 3 000 tonnes par année. Les fonderies arrivaient en tête des listes gouvernementales de producteurs de polluants de la même façon que les cheminées dominent l'horizon de Sudbury. De nos jours, rien n'a changé. L'Ontario et le Québec, grâce à leurs plus grandes fonderies, sont responsables de 60 pour cent des émissions de dioxyde de soufre du pays.

De l'autre côté de la frontière, les émissions américaines sont au total cinq fois plus nombreuses que les émissions canadiennes ;

en 1978, elles se chiffraient à 28 millions de tonnes contre 5.5 millions de tonnes au Canada. Les deux tiers de ces émissions proviennent des centrales électriques alors qu'un sixième en provient au Canada. Aux États-Unis, les fonderies de minerai non ferreux en émettent presque la même quantité qu'au Canada, mais à l'échelle américaine ces émissions représentent moins de 15 pour cent du total. N'ayant jamais bénéficié de rivières rapides qu'ils auraient pu harnacher pour produire de l'électricité, et devant répondre à une demande 10 fois plus importante d'énergie électrique, les États-Unis ont depuis longtemps recours au charbon et à l'huile pour transformer l'eau en vapeur et alimenter leurs générateurs. Le charbon y produit déjà 50 pour cent de l'électricité. Aucune centrale électrique alimentée au charbon ne vient près d'émettre autant que les 1.3 million de tonnes de la Inco, à Sudbury. Mais si l'on réunit plusieurs sources de pollution de l'air en une seule compagnie, la Tennessee Valley Authority devient, avec ses 14 centrales énergétiques de l'est des États-Unis, le pire pollueur parmi les corporations du continent, avec des émissions de 2.5 millions de tonnes en 1975. L'Inco vient au deuxième rang.

En 1975, pour ne donner que cet exemple, on a extrait des champs miniers américains plus de 600 millions de tonnes de charbon, dont la majeure partie en Ohio, en Pennsylvanie et dans les Appalaches qui séparent en deux l'est du pays. La présence de charbon implique celle de centrales énergétiques et il en existe au moins 284 à l'est du Mississippi, pour la plupart dans les États de la vallée de la rivière Ohio, l'Ohio, l'Indiana et le Kentucky. À l'instar du nickel de Sudbury, le charbon contient du soufre et ces 284 centrales énergétiques émettent près de 80 pour cent des 18 millions de tonnes de dioxyde de soufre rejeté dans les cieux américains par les centrales énergétiques du pays avant de se transformer en pluies acides. Ces centrales sont agglutinées près des villes et des aciéries et certaines d'entre elles, comme la centrale de la Tennessee Valley Authority, à Muhlenberg, au Kentucky, celle de l'Ohio Power Corporation, à Morgan, en Ohio, ou celle de la Union Electric, à Franklin, au Missouri, émettent chaque jour plus de 800 tonnes de dioxyde de soufre. Certaines de ces centrales sont en opération depuis 40 ans. Dans certains cas, leurs émissions ont été bien supérieures dans le passé.

Abstraction faite de la disparité des sources et du volume des émissions, le processus de la pollution demeure le même des deux côtés de la frontière. Qu'il soit extrait des minerais par fusion ou libéré de la structure moléculaire du charbon, le soufre se combine à l'oxygène pour former du dioxyde de soufre, lequel est rejeté vers le ciel par convection en même temps que la cendre et d'autres éléments chimiques. Ceux-ci, dans le cas du charbon, comprennent du mercure et certains agents radioactifs. Le dioxyde de soufre peut, à lui seul, endommager la végétation et la propriété et on sait qu'il agit comme irritant respiratoire. Lorsqu'il est projeté dans les cieux, cependant, et soumis à l'humidité, à la température, à la présence d'agents chimiques neutralisateurs dans le même courant, et à la lumière du soleil, une partie du dioxyde de soufre commence à retomber sur terre. Mais la très grande majorité demeure dans les airs et se transforme de sulfite en sulfate puis, en se combinant aux inévitables molécules d'eau qui se trouvent partout dans l'atmosphère, en acide sulfurique. Lorsque le taux d'humidité est élevé, il est possible que 55 pour cent du soufre se transforme en deux heures en acide sulfurique. Si le vent souffle ne serait-ce qu'à 11 milles à l'heure, cet acide peut voyager 60 milles avant de tomber. Le dioxyde de soufre et l'acide sulfurique peuvent demeurer encore plus longtemps en suspension lorsque le taux d'humidité est bas.

Dans une atmosphère surchargée de polluants qui sont déjà parvenus à absorber les agents chimiques neutralisateurs qui s'y trouvent, le dioxyde de soufre en provenance d'une cheminée s'ajoute littéralement aux nuages et après quelques heures peut demeurer en suspension durant cinq jours ou davantage. Ce qui constituait un problème localisé de pollution de l'air est en passe de s'étendre à l'échelle continentale. À la longue, le dioxyde de soufre retombe sur terre, parfois tiré des nuages par la pluie qui tombe d'une altitude supérieure ou simplement entraîné lorsque les nuages eux-mêmes se condensent en gouttes de pluie. Une partie en tombe même sous forme de particules sèches et microscopiques qui s'enfoncent dans le sol où elles se transforment en acide sous l'effet de l'humidité. L'acide sulfurique ne représente que 0.0005 pour cent d'acidité par rapport au poids de l'air lorsqu'on le mesure à un pH de 4 mais au cours d'une année, ces quantités microscopiques s'ajoutent les unes aux autres : chaque année, de nos jours, il tombe 11 onces d'acide sulfurique sur chaque acre du sud de l'Ontario mais 44 livres y tombent sous forme sèche. Ainsi qu'une géographe de l'Université de Windsor, le Dr Marie Sanderson, devait le faire remarquer en 1977 après avoir calculé pour la première fois que les retombées équivalaient à 11 onces : « l'approvisionnement, dans les cieux, est constant. Chaque fois qu'il pleut la terre est polluée davantage. » Mais personne ne peut prédire exactement où l'acide tombera.

Les scientifiques appellent la force de frappe des pluies acides « le transport à longue distance des polluants atmosphériques. » En termes simples, ceci signifie que la majeure partie de nos pluies acides provient d'ailleurs. Ironie du sort, la dissémination continentale des acides en suspension dans l'air découle en partie des tentatives à courte vue de nettoyer l'air à proximité des sources locales de pollution. Entre 1955 et 1965, les principaux pollueurs d'air par dioxyde de soufre se lancèrent dans une campagne effrénée destinée à mettre un terme aux plaintes de leurs voisins au sujet des gaz de dioxyde de soufre à basse altitude, de la poussière et des cendres qu'émettaient les bouilloires et les moteurs alimentés au charbon ou à l'huile. Le remède-miracle, auquel ils se sont raccrochés juste au moment où le gouvernement américain commençait à imposer de nouvelles normes de protection de l'air ambiant, consistait à édifier de hautes cheminées. Ainsi les gaz, émis à une plus haute altitude, seraient-ils rejetés plus loin puis dilués et disséminés sans cesse avant de retomber en concentrations apparemment inoffensives et presque imperceptibles. Il n'existait en 1955 aux États-Unis que deux cheminées hautes de plus de 600 pieds. De nos jours, presque toutes les cheminées des 284 centrales énergétiques alimentées au charbon dans l'est des États-Unis ont au moins 600 pieds. Certaines s'élèvent à plus de 1 000 pieds. Et effectivement la qualité de l'air a connu une amélioration à l'échelon local dans certaines régions.

On peut excuser les météorologues et les spécialistes de la pollution de l'air d'avoir approuvé les hautes cheminées dans les années 50. À l'époque, on croyait encore que le dioxyde de soufre ne pouvait demeurer dans l'atmosphère plus de 5 ou 6 heures sans se transformer en éléments relativement neutres. Mais au milieu des années 60, les Scandinaves, déjà conscients de l'acidification des lacs, avaient démontré tant la stabilité à long terme que le transport sur de longues distances de la pollution par les acides en provenance des cheminées d'Europe. En 1971, ils avaient mis au point des modèles sophistiqués de ce qu'ils appelaient la « propagation à longue distance. » En août 1974, l'Institut norvégien de recherche sur l'air envoya un avion capable de respirer la pollution dans le sillage des vents en provenance d'Europe [4]. Lorsque l'on procéda à l'analyse des relevés effectués durant deux jours, le processus apparut clairement. Le 26 août, on avait localisé des milliers de tonnes de dioxyde de soufre rejeté dans l'air au-dessus de l'Allemagne, de la Pologne et de l'Angleterre. Les courants aériens soufflaient depuis le continent et l'Angleterre en une trajectoire de plus en plus étroite au-dessus des côtes sud et ouest de la Norvège. Le 27 août, les vents gonflés de dioxyde rencontrèrent les montagnes de la côte norvégienne et les masses d'air s'élevèrent, se rafraîchirent puis se condensèrent en pluie. Ce jour-là, il tomba près d'un pouce et demi de pluie tant au long des côtes qu'à l'intérieur des terres et cette pluie était hautement acide, atteignant même 3.6 à l'échelle pH, c'est-à-dire 100 fois plus acide que la pluie normale. À la fin de la journée, la masse d'air en provenance de l'Europe, quelque peu nettoyée entre-temps, s'était enfoncée de 500 milles en Norvège et se trouvait, sans avoir cessé d'être acide, à plus de 1 000 milles de sa source. Il faut souligner que le grand maître suédois des études sur les pluies acides, Svante Oden, avait prévu ce phénomène dès 1968.

Le même genre de processus se produit en Amérique du Nord depuis au moins 20 ans. Soufflée vers l'est par les vents dominants, la masse de dioxyde de soufre émise pas les centrales de la vallée de l'Ohio, qui sont alimentées au charbon, s'élève lorsqu'elle atteint les Appalaches et les Adirondacks puis se rafraîchit et se condense en pluie acide. Au nord-est, cette masse rencontre l'air plus frais du nord au-dessus de l'Ontario, du Québec et de la côte atlantique, ce qui résulte en davantage de pluie et davantage de pluie acide. Il arrive aussi que des courants chargés de dioxyde en provenance de l'Ontario et du Québec pénètrent aux États-Unis vers le sud et l'est, y rencontrent de

---

4. Nordo, J., « Transport of Air Pollutants in Europe and Acid Precipitation in Norway », *Water Air and Soil Pollution* 6, 1976.

l'air plus chaud puis se condensent en pluie, en pluie acide. Le comportement des vents à l'échelle continentale est connu depuis belle lurette aux États-Unis, mais même en 1971 on voyait dans les hautes cheminées le remède propre à combattre la pollution de l'air à l'échelle locale. Ceci était particulièrement vrai de l'Ontario où le gouvernement provincial a pleinement endossé la proposition de l'Inco de construire sa cheminée géante de Sudbury.

Les affirmations de R.R. Saddington, un officiel de la Inco, publiées le 26 juin 1971 par le *Globe and Mail* de Toronto dans la page même où Harold Harvey lançait son premier cri d'alarme au sujet des dommages causés par les pluies acides dans le parc Killarny, témoignent de l'ignorance — ou de la fraude — dont étaient alors victimes les Ontariens : « On a exprimé la crainte que la cheminée géante polluera de plus vastes régions et rejettera davantage de dioxyde de soufre empoisonné dans l'atmosphère. En réalité, elle ne fera ni l'un ni l'autre. On comprend généralement mal la nature du dioxyde de soufre. À l'échelle planétaire, 80 pour cent du dioxyde de soufre contenu dans l'atmosphère provient de la décomposition organique. Environ 14 pour cent provient de la combustion des carburants fossiles et environ 6 pour cent des fonderies. » Saddington poursuivait en affirmant que : « Le dioxyde de soufre ne survit qu'environ quatre jours dans la basse atmosphère. Il ne s'accumule pas dans l'air de façon à former une couche empoisonnée dans l'atmosphère terrestre. Le problème ne réside donc pas tant dans la quantité déversée par une cheminée que dans les concentrations au niveau du sol. » Pourquoi alors s'inquiéter ?

L'Inco est une corporation multinationale où travaillent des experts dans tous les domaines y compris, selon la compagnie, celui de l'environnement. Mais les experts devaient s'être absentés le jour où Saddington rédigea son éloge de la cheminée géante. Celle-ci projette ses agents polluants à des altitudes plus élevées et sur de plus grandes distances ; une part moins importante de la masse d'air entre donc en contact avec le sol aussitôt pour y échapper ses particules acidulées. Cette plus grande dispersion signifie que davantage d'agents polluants demeurent plus longtemps en suspension dans l'air. La cheminée géante peut donc cracher « en toute sécurité » davantage d'agents polluants dans l'atmosphère sans que les effets en soient ressentis à l'échelle locale. Les conséquences à longue distance constituaient un autre domaine qu'on avait sous-évalué. Quant à l'affirmation selon laquelle les sources naturelles de dioxyde de soufre étaient beaucoup plus importantes que celles créées par l'homme, comme l'Inco, des experts aussi connus que Junge ont évalué dès 1960 que dans le nord industrialisé les sources créées par l'homme étaient au moins aussi importantes que les sources naturelles[5]. Les experts de l'Inco avaient-ils vraiment pu dire à Saddington que le dioxyde de soufre demeure sans bouger dans l'atmosphère pour se dissoudre au bout de quatre jours ? En 1968, les Scandinaves étudiaient déjà depuis une décennie les trajectoires des masses d'air, et démontraient qu'en quatre jours l'air chargé de dioxyde avait amplement le temps d'effectuer un long voyage et de déverser ailleurs des tonnes d'acide.

Saddington avait raison sur un point : le dioxyde de soufre ne s'accumule pas en une couche de poison. Il se déplace en une masse de poison mais ceci ne préoccupait ni l'Inco ni le gouvernement provincial qui voulaient soulager Sudbury. Les habitants de Sudbury commençaient à détester vivre dans un paysage lunaire de cours dénudées et d'arbres nains. La cheminée géante, terminée en 1972, atténuait la pollution au niveau du sol de la localité. Cinq ans plus tard, tôt le matin du 30 août 1976, les scientifiques Millan Millan et Y.S. Chung actionnèrent des instruments destinés à mesurer la quantité de dioxyde de soufre à haute altitude[6]. Ce matin-là, à 11 h 30, les aiguilles de leurs cadrans commencèrent à sursauter et dès 1 h 30 elles enregistraient de façon constante une masse anormale d'air chargé de soufre à une altitude de 1 000 pieds, dont la concentration en dioxyde de soufre était trois fois supérieure à la normale. Ce « colis aérien » pollué, comme l'appellent les scientifiques, resta là jusqu'en fin d'après-midi. En quelques jours, en se servant de cartes météorologiques détaillées, de mesures et de rapports régionaux, les deux scientifiques remontèrent jusqu'à la source de pollution

5. GLASS, Norman, *Acid Precipitation in the U.S. : History, Extent, Sources, Prognoses*, Interim Report, Corvallis Research Laboratory, U.S. Environmental Protection Agency, 1979.

6. MILLAN, Millan and Y.S. CHUNG, « Detection of a Plume 400 km from its Source », *Atmospheric Environment*, vol. II, 1977.

située 250 milles plus loin : il s'agissait de la cheminée géante de la Inco à Sudbury. Ils découvrirent que, le 29 août, une masse d'air poussée par des vents légers du nord avaient commencé à entraîner les agents polluants émis par la cheminée directement vers le sud ; la cheminée émettait alors 15 livres de dioxyde de soufre à la seconde. Au milieu de la journée, le 30, l'extrémité de la masse d'air pollué se trouvait au-dessus de Toronto, allégée entre-temps de 17 pour cent de son dioxyde de soufre. L'après-midi du 30, la masse d'air d'une largeur de 4 milles oscilla dans une zone de 30 milles située entre Toronto et Oshawa puis se dirigeait vers Rochester en survolant le lac Ontario lorsqu'on la mesura pour la dernière fois. En se dirigeant vers Toronto, la masse d'air avait survolé les lacs du parc Killarny, Wasaga Beach et Orangeville. Les deux scientifiques rédigèrent leur rapport et plus tard, le publièrent, puis ajoutèrent leurs données à leurs filières qui comprenaient une photographie en couleur prise le 1er septembre 1974 où l'on voyait le panache de la Inco s'étirer sur une distance de 50 milles contre l'horizon où le soleil se couchait, ainsi que la photographie prise par satellite le 9 septembre 1972 où l'on voyait le panache s'étirer sur une distance de 150 milles en direction du sud-ouest jusqu'à la péninsule de Bruce. Et c'étaient là des jours de temps clair où il ne pleuvait pas.

Il est vrai que ces trois jours de panache en provenance de l'Inco constituent l'exception. Dans des conditions normales, alors qu'une température fluctuante balaie l'Ontario, il est beaucoup plus difficile de retracer la pollution en provenance de l'Inco qui de toute façon se déverse dans un ciel déjà chargé de dioxyde de soufre importé des États-Unis. Cet écoulement de l'un et l'autre côté de la frontière internationale a provoqué un intense débat scientifique et politique, et ce soi-disant « écoulement transfrontières » est l'un des problèmes les plus épineux auxquels le Canada ait à faire face dans ses relations avec les États-Unis.

La discussion de ce problème en termes scientifiques résolument détaillés sert maintenant de tactique pour empêcher toute action politique de l'un ou l'autre côté de la frontière qui s'attaquerait à la seule solution qui compte vraiment : fermer à leur source les robinets de pluies acides, abstraction faite des

60

frontières. La réalité et les estimations de l'écoulement trans-frontières permettent cependant de comprendre l'énormité du problème auquel ont à faire face le Canada et les États-Unis. Elles permettent aussi de comprendre pourquoi les deux pays doivent réviser leurs positions face à la pollution de l'air.

Les vents dominants au-dessus du centre de l'Amérique du Nord vont de l'ouest à l'est puis vers le nord-est. Les vents sont les grands responsables de ce qu'une bonne part des 15 millions de tonnes de dioxyde de soufre émises par 14 États américains à l'est du Mississippi aboutissent au-dessus des Adirondacks, des Appalaches et de la côte atlantique dans les pluies acides. Entre le 9 et le 14 août 1976, pour ne donner que cet exemple, le niveau du sulfate au-dessus de Halifax, en Nouvelle-Écosse, a été multiplié par 18[7]. On découvrit, en remontant à la trace la piste de la masse d'air polluée, que celle-ci avait amorcé son déplacement près de cinq jours plus tôt au-dessus des centrales énergétiques alimentées au charbon de la vallée de l'Ohio. Un vent typique, circulant à 12 milles à l'heure, peut pousser une masse d'air sur une distance de 870 milles, de Chicago à Montréal, en aussi peu que trois jours. Au cours de ces trois jours, jusqu'à la moitié du dioxyde de soufre aura été trans-formée en gouttelettes de pluie acide, prêtes à tomber. Mais en Amérique du Nord, les vents ne soufflent pas toujours avec une telle régularité; il existe d'importantes variations saisonnières. Les vents d'hiver soufflent souvent en direction sud depuis le Canada puis vers le sud-est à travers les États-Unis, transportant de l'air relativement pur, exception faite des émissions de la Inco, entre autres, tandis qu'au cours de l'été de lents courants se dirigent vers le nord depuis le golfe du Mexique tout en se gonflant en cours de route d'agents polluants qu'ils rejettent dans des régions aussi éloignées que le nord du Québec. Les pluies acides passent de l'un à l'autre côté de la frontière, entraînées par ces réseaux dominants de circulation de l'air, sans que ces échanges soient nécessairement égalitaires. En émettant cinq fois plus de dioxyde de soufre que le Canada, il est évident que les États-Unis polluent bien davantage, d'autant plus que le vent souffle la plupart du temps en direction du nord-est vers le

---

7. McBean, G.A., Intervention inaugurale du séminaire sur les pluies acides le 2 novembre 1979 à Toronto.

Canada. Vers la fin de 1979, les deux gouvernements fédéraux ont fait paraître les résultats de leurs premiers efforts conjoints en vue de démêler la provenance des écoulements[8] et ces résultats recélaient des surprises. Dans l'un et l'autre pays, les études indiquaient qu'à l'échelle nationale les États-Unis déversent de trois à quatre fois plus de soufre par voie des airs sur le Canada que celui-ci sur les États-Unis. Il s'agit là de toute évidence d'une importante différence avec les affirmations antérieures du ministère ontarien de l'Environnement selon lequel le rapport était de six contre un. Les études portant sur la quantité de soufre qui retombait au sol, soit en particules sèches, soit en particules humides à l'intérieur des pluies acides, dans la région critique du nord-ouest, parvenaient aussi aux mêmes conclusions : toutes deux évaluaient les dommages à entre 5.4 et 5.8 millions de tonnes métriques de soufre qui retombaient chaque année sur le nord-est des États-Unis, quelle que soit leur source. Les chercheurs canadiens ont pour leur part produit des estimations selon lesquelles environ 4.2 millions de tonnes métriques retombaient sur l'est du Canada, quelle que soit leur source, un chiffre remarquablement près du total américain compte tenu de l'énorme différence qui existe entre l'industrie canadienne et l'industrie américaine.

Les scientifiques américains ont calculé qu'au cours de deux mois typiques, janvier et août 1977, deux fois plus de soufre est retombé sur le nord-est canadien que sur les États-Unis en provenance de sources canadiennes, une découverte qui ne surprit guère les Canadiens. Toutefois l'étude américaine poursuivait en calculant qu'au cours de ces deux mois typiques près de 105,000 tonnes de soufre produites par le Québec et l'Ontario étaient retombées sur ces deux provinces. Avec une ferveur patriotique, le Canada conservait chez soi ses propres agents polluants et il en retombait davantage dans sa cour qu'il en provenait du sud de la frontière. Il s'agissait là d'une découverte troublante et l'Ontario s'inscrivit pour sa part en faux contre cette analyse, puisqu'il avait soutenu six mois plus tôt que les sources américaines contribuaient dans une très large mesure aux pluies acides de cette province. Les études effectuées

---

8. U.S.-CANADA RESEARCH CONSULTATION GROUP, *The LRTAP Problem in North America : A Preliminary Overview*, octobre 1979.

62

par le ministère de l'Environnement de l'Ontario indiquaient qu'au cours d'une période de trois mois en 1979, alors que la cheminée géante de l'Inco ne fonctionnait pas, le taux d'acidité des pluies n'avait pas changé, ce qui impliquait que les Américains devaient de toute évidence être blâmés. Cette étude hautement publicisée ne portait que sur un rayon de 60 milles autour de Sudbury et elle avait été effectuée au cours de l'été alors que les vents soufflent habituellement depuis le sud. Elle négligeait cependant de dire où aboutissaient les 3 600 tonnes d'agents polluants rejetés chaque jour par l'Inco lorsque la fonderie était en opération. Cette étude devait toutefois devenir un facteur important dans la répugnance de l'Ontario à agir trop fermement et trop tôt contre l'Inco. En ne portant que sur l'Inco et le centre-nord de la province, elle ignorait complètement le sud où l'Hydro Ontario crache ses propres émissions de dioxyde de soufre.

Des deux côtés de la frontière, les scientifiques responsables de la première étude conjointe Canada–États-Unis sur les écoulements transfrontières retournèrent à leurs relevés et à leurs ordinateurs dans le but de raffiner leurs modèles et de cuisiner d'autres données. Mais ce que la première étude avait révélé sautait aux yeux et la ronde suivante, prévue pour la fin de 1980, le confirmerait. Les deux pays se polluent sérieusement l'un l'autre par le biais des pluies acides. Les deux pays doivent arrêter. Ceci, bien sûr, implique des décisions politiques hors de la portée de la science. Les scientifiques préfèrent mesurer les détails et laisser autrui s'inquiéter des évidences.

# 3

# Les acides
# dans l'écosystème

La forêt Hubbard Brook, dans l'État du New Hampshire, se dresse contre les White Mountains avec ses épais bosquets d'érables à sucre, de bouleaux jaunes et de hêtres. On y aperçoit çà et là des épinettes rouges et des érables de montagne annonciateurs de la forêt boréale qui commence plus au nord et s'enfonce profondément à l'intérieur du Canada. Entre les étés froids et humides et les épaisses chutes de neige de l'hiver, les pentes flamboient de jaune et d'orange, et les sumacs pourpres accentuent les affleurements du granite dénudé. Les derniers bûcherons y ont séjourné en 1917. Les forêts et les sols minces n'ont jamais été endommagés par le feu et on peut y apercevoir des arbres qui datent d'avant l'arrivée des premiers pionniers en 1770, avec leurs troncs de 30 pouces de diamètre trop tordus pour être de quelque utilité dans les clos de bois. La majorité des arbres ont de 80 à 100 ans et forment une voûte de feuillage épais de 30 à 50 pieds du sol [1].

---

1. WHITTAKER, R.H. *et al.*, « The Hubbard Brook Ecosystem Study : Forest Biomass and Production », *Ecological Monographs*, vol. 44, nº 2, 1974.

Les hommes ont envahi cette réserve naturelle de 1968 à 1972. Au cours de la décennie précédente, forestiers et botanistes y avaient erré, détachant des boutures de feuilles, arrachant des échantillons d'écorce et comptant les essences d'arbres. Mais en 1968, une nouvelle équipe arriva et la forêt bourdonna bientôt du bruit des scies mécaniques et des perceuses d'acier dans le cadre d'une soigneuse étude scientifique entreprise conjointement par les universités Yale et Cornell ainsi que par le Forest Service américain et le Brookhaven National Laboratory, une agence de recherche nationale. Près de 100 arbres, représentant chaque essence importante, chaque classification et chaque location, furent sacrifiés. On découpa les troncs en cubes comme des carottes, on pela les écorces, on perfora les cœurs, on pesa et mesura les branches, on compta les graines. Puis on extirpa les racines « avec l'encouragement de la dynamite », comme un rapport devait plus tard l'indiquer, on les fit bouillir, on les pulvérisa et on les examina au microscope. On ramassa même les branches tombées au cours de l'hiver. On ajouta des données concernant 497 autres arbres aux calculs dont on alimenta les ordinateurs.

Il fallut près de quatre ans pour aboutir aux conclusions. Jusqu'en 1950, la forêt avait poussé d'une façon normale ; entre 1961 et 1965, la production de bois par les arbres déclina abruptement, brusquement, de près de 20 pour cent. Au cours des deux siècles précédents rien de tel n'était jamais arrivé. Mais entre 1961 et 1965 les pluies acides avaient envahi le nord-est des États-Unis, y compris les White Mountains. En 1974, les scientifiques affirmèrent que « l'acidité croissante des pluies pouvait être responsable de la diminution de la productivité forestière » et affirmèrent, avec des précautions oratoires, qu'il « valait la peine d'étudier davantage » ce phénomène. Avant même la fin de la décennie, les études semblaient confirmer ce que personne n'oserait mettre en doute : les pluies chargées d'acides ne bénéficient pas à la vie des plantes.

Au début des années 70, à cinq cent soixante milles au nord-ouest de la forêt de Hubbard Brook, deux scientifiques canadiens s'étaient frayé un chemin dans ce qui avait été jadis une forêt boréale d'essences variées aux environs de Sudbury, en Ontario. Il n'en restait plus que des sapins blancs et des pins gris, des érables rouges et des chênes rouges, très éloignés les uns des autres, souvent rabougris, leur feuillage clairsemé. Dans le rayon de 30 milles parcouru par les scientifiques Hutchison et Whitby, le terrain était en grande partie constitué de granite dénudé et noirci. Ils ne découvrirent que neuf sites où il leur fut possible de prélever soigneusement des échantillons de différentes couches de sol. Ils mesurèrent l'acidité du sol tant humide que sec, mirent en sac des échantillons en vue d'analyses ultérieures et, dans la mesure du possible, remplirent de petites boîtes de terreau intact. Ils vérifièrent les appareils de contrôle de l'air près de ces sites dans le but de mesurer l'acidité et la composition du vent qui soufflait dans la région, surtout en provenance des fonderies de l'Inco et de la Falconbridge, situées au cœur de la région qu'ils étudiaient. À quelques milles des fonderies, ils savaient déjà à quoi s'attendre : des sols clairsemés hautement contaminés par des métaux toxiques, désséchés de leur alcalinité essentielle et gavés d'acide sulfurique.

Dès 1954, des scientifiques comme Sam Linzon, qui travaillait alors pour le département ontarien des terres et forêts, attribuaient directement la mort des arbres aux gaz qui provenaient en hautes concentrations des fonderies depuis des décennies avant l'érection de cheminées et restaient au niveau du sol. Mais les échantillons prélevés aussi loin qu'à trente milles sous le vent réservaient de nouvelles surprises à Hutchison et Whitby. Au bout de près de deux ans d'un travail où ils tentèrent, entre autres, de faire pousser de nouvelles plantes dans le sol de Sudbury là où l'air était propre, ils en vinrent à la conclusion que la plupart des sols étaient désespérément empoisonnés par des métaux libérés de leurs liaisons naturelles par les pluies acides de Sudbury. Dans ces sols bourrés d'acide sulfurique, manquait la matière organique nécessaire pour résister à la dégradation microbienne excessive et transmettre les substances nutritives. Ils relevèrent que l'air était beaucoup plus propre aux alentours de Sudbury depuis l'érection de la cheminée géante en 1972 et reconnurent la possibilité qu'une bonne partie des dommages ait pu être causée par la pollution aérienne à une époque où on n'en avait pas étudié les conséquences. Mais « les implications seraient troublantes si les conséquences (sur le sol et la végétation) devaient se répéter à une plus grande échelle » dans des régions où l'on retrouve un sol d'une même nature à l'origine et des niveaux similaires d'acidité dans les pluies. Dans leurs rapports publiés en 1973, 1974 et 1977 [2], ils en venaient à la conclusion qu'il ne « fallait pas prendre à la légère la perspective d'une propagation de plus en plus étendue des pluies acides sur des centaines de milles carrés (grâce à la cheminée géante). »

Au moment où les scientifiques américains dynamitaient les racines de la forêt de Hubbard Brook et où Hutchison et Whitby arrachaient des végétaux disséminés dans le paysage lunaire de Sudbury, la Suède rendait public son énorme rapport sur les pluies acides au cours de la conférence des Nations Unies sur l'environnement à Stockholm.

L'impact à longue distance des pluies acides a été démontré de façon incontestable par deux décennies de relevés suédois. Des échantillons prélevés dans plus de 200 emplacements en Suède et en Norvège ont permis de découvrir des bandes de terrain d'une largeur de 100 milles dont le pH, la capacité de l'alcalinité à agir comme tampon et la proportion d'agents chimiques essentiels capables d'agir comme tampons, étaient anormalement bas. Les bandes les plus larges se trouvaient là où les chutes de pluies acides étaient les plus nombreuses : le long des côtes du sud-ouest, du sud et du sud-est situées face à l'Angleterre et à l'Europe où près de 20 millions de tonnes de dioxyde de soufre sont produites et soufflées vers la Scandinavie chaque année. Les sols y étaient souvent minces, en grande partie constitués de matières sablonneuses lessivées depuis le lit de granite sous-jacent, d'une mince couche d'humus en décomposition et de hautes concentrations de métaux lourds. Les Suédois calculèrent que ces sols ne contenaient plus que de 5 à 20 pour cent des matières basiques capables de résister aux acides qu'ils auraient dû contenir s'ils avaient été soumis à des pluies moins acides. Et ils calculèrent que ces sols perdaient chaque année jusqu'à .1 pour cent de leur alcalinité lorsqu'ils étaient soumis à des pluies acides continuelles. Ce phénomène, affirmèrent-ils, aurait de sérieuses répercussions sur la productivité des sols et sur la végétation.

---

2. HUTCHISON, T.C. & L.J. WHITBY, « The Effects of Acid Rainfall and Heavy Metal Particulates on a Boreal Forest Ecosystem Near the Sudbury Smelting Region of Canada », *Water, Air and Soil Pollution* 7, 1977 : 421–438.

Les Suédois reconnaissaient d'autant plus la complexité et la subtilité extrêmes du processus de productivité des sols et de la croissance que l'accroissement de l'acidité du sol risquait de ne produire des modifications visibles dans la croissance de la végétation que lorsqu'il « sera trop tard » pour en contrer les effets. Les Suédois tentèrent de découvrir ce qui était déjà survenu [3]. Ils divisèrent le sud de la Suède en deux régions, l'une où les pluies acides étaient les plus fortes, les lacs et les rivières acidifiés, et les sols précambriens typiquement d'une faible capacité tampon, et l'autre où malgré des pluies similaires les sols étaient plus profonds et plus neutres. Les chercheurs y percèrent des trous dans 4 200 arbres, dont certains âgés de 120 ans, et mesurèrent la croissance des fibres année par année. Ils découvrirent qu'aux environs de 1951 les taux de croissance commençaient à diminuer dans la région la plus sensible aux acides. En 1965, le taux de croissance dans cette région avait diminué de .3 pour cent. L'acidité des pluies acides en Suède avait augmenté brutalement dans les années 50 pour atteindre un pH égal ou inférieur à 4 dans certaines régions dès 1965. L'une des équipes de chercheurs affirmait en guise de conclusion que « nous n'avons pas la moindre raison d'attribuer à quelque autre cause que l'acidification la réduction de la croissance des arbres. » Il était facile de déceler l'acidification des pluies ; il était beaucoup plus difficile de déceler la modification de la croissance des forêts, un phénomène plus lent. Pourtant, il se produisait. Le rapport suédois à la conférence de Stockholm, en 1972, faisait aussi état de similitudes frappantes entre les pluies acides, la composition des sols et la végétation des régions sensibles en Scandinavie et dans le nord-est de l'Amérique du Nord.

De 1972 à 1975, les Suédois, les Norvégiens et une poignée de Nord-Américains continuèrent à forer et à prélever des échantillons. Il était immensément plus difficile d'établir des liens entre les pluies acides et les dommages causés au sol et à la végétation que lors des recherches portant sur les pluies en rapport avec les lacs et les poissons. Les arbres préfèrent, selon les essences, des sols très diversifiés ; les arbres avoisinants exercent aussi leur propre influence sur le sol et celui-ci peut, en quelques verges,

3. JONSSON, Bengt, « Soil Acidification by Atmospheric Pollution and Forest Growth », *Water, Air, and Soil Pollution* 7, 1977 : 500.

passer d'une terre grasse à une terre sablonneuse. Il est d'autant plus difficile de prévoir la sensibilité d'un sol aux acides et leur impact sur celui-ci qu'il faut tenir compte de données telles que les variations climatiques, les chutes de pluie, la température, l'altitude, l'exposition à la lumière du soleil et même l'activité des insectes et des bactéries. En 1975, les chercheurs scandinaves découvrirent que la présence d'azote dans les pluies d'acide nitrique pouvait effectivement servir de fertilisant bénéfique aux sols et à la végétation. On n'avait tenu compte d'aucun de ces facteurs avant les recherches suédoises amorcées en 1969. Mais en mai 1975, près de 300 scientifiques de 12 pays dont le Canada et les États-Unis se rencontrèrent à Columbus, en Ohio, à l'occasion de la première conférence internationale sur les pluies acides et les écosystèmes forestiers [4]. Des experts suédois tels que Svante Oden y décrivirent la propagation des pluies acides en Scandinavie, on y examina les recherches effectuées sur les pluies acides en Norvège par une équipe de 40 scientifiques qui s'y consacraient à plein temps au coût de 1.5 millions de dollars par année, on y fit rapport sur le transport à longue distance de la pollution par dioxyde de soufre en Amérique du Nord et sur son impact sur la vie des poissons, et chacun y traita du sol et de la végétation. Malgré des approches et des recherches variées, le même message fut sans cesse repris : l'environnement forestier du Nord était érodé par les pluies acides.

Lorsqu'une pluie chargée d'acides tombe sur une forêt typique, les gouttes de pluie glissent sur au moins trois couches de feuillage avant d'atteindre le sol. Ces gouttes doivent parcourir une beaucoup plus grande surface lorsqu'il s'agit d'arbres à grandes feuilles comme les érables et les chênes que lorsqu'il s'agit de pins blancs ou d'autres conifères. Les gouttes de pluie tombent sur des feuilles dont la surface est souvent saupoudrée de suie, de poussière, de dépôts de sulfate sec et d'autres agents chimiques ou minéraux en suspension dans l'air. Ces gouttes peuvent lessiver de tels agents chimiques ou les transformer en acides qui demeurent sur les feuilles. L'acide sulfurique et

---

4. Dochinger, L.S. et T.A. Seliga, Introduction to « Acid Precipitation and the Forest Ecosystem : Report from the First International Symposium », *Journal of the Air Pollution Control Association*, vol. 25, N° 11, 1975 : 1103–1105.

d'autres acides peuvent endommager la délicate et mince pellicule cireuse qui enveloppe et protège les feuilles. Ils peuvent endommager les cellules superficielles des feuilles et plus particulièrement celles qui contrôlent l'ouverture et la fermeture des minuscules pores qui permettent l'inspiration et l'expiration d'humidité et de gaz. Endommagées, ces cellules peuvent littéralement provoquer la suffocation des feuilles ou les laisser envahir par les acides, par d'autres agents chimiques et par des maladies bactériologiques. Le métabolisme normal des feuilles peut en être disloqué; la photosynthèse vitale peut en être modifiée; il peut en résulter la croissance anormale ou la mort prématurée des cellules des feuilles. L'acide peut contaminer ou détruire le pollen des pousses en fleurs et des bourgeons, intervenir dans la fertilisation, et même arrêter dans leur croissance les graines ou les rendre stériles avant même qu'elles ne tombent sur le sol.

Le processus de corrosion des feuilles par les pluies acides avait été reproduit en laboratoire tant en Amérique du Nord qu'en Europe à la fin de 1978[5]. Certains de ces « laboratoires » étaient en fait des forêts délibérément choisies à cause de leur éloignement. En 1974 et en 1975, par exemple, au pied des Cascade Mountains de l'État de Washington, un groupe de scientifiques mesura, à la suite des avertissements lancés par les Suédois en 1972, les dommages causés aux aiguilles des pins Douglas par l'acide en provenance des sources de pollutions urbaines situées sous le vent[6]. À l'échelle pH, les pluies n'atteignaient en moyenne que de 4.7 à 5.1; elles étaient plus propres que dans l'est de l'Amérique du Nord mais suffisamment acides pour rompre des processus essentiels. L'ensemble presque invisible d'algues, de moisissures, de bactéries et de microlichens qui vivent à la surface des aiguilles de

---

5. COWLING, E.B. « Effects of Acid Precipitation on Terrestrial Vegetation », et autres auteurs dans *A National Program for Assessing the Problem of Atmospheric Deposition (Acid Rain) — A Report to the Council on Environment Quality*, National Atmospheric Deposition Program, Natural Resource Ecology Laboratory, Colorado State University, 1978.

6. DENISON, R. *et al.*, « The Effects of Acid Rain on Nitrogen Fixation in Western Washington Coniferous Forests », *Water, Air and Soil Pollution* 8, 1977 : 21–34.

pin et « fixent » l'azote de façon à ce qu'il soit utilisable par des cellules vivantes, avait été endommagé. L'azote est si essentiel à la végétation qu'il sert de fertilisant commercial à travers le monde. Dans les forêts, la fixation de l'azote enrichit d'abord les feuilles, puis le sol, ce qui n'était plus le cas des pins Douglas des Cascade Mountains. Les arbres n'en étaient pas visiblement affectés au cours du laps de temps limité qu'avait duré l'étude effectuée dans l'État de Washington, mais le processus qui conserve les arbres en santé durant des décennies l'était clairement.

Le temps joue un rôle critique : le temps que passe une goutte de pluie bourrée d'acide sur une feuille, le nombre de fois que de telles gouttes y tombent au cours d'une seule pluie, le nombre de pluies, le moment du jour et l'époque de l'année, même le moment précis dans la croissance de la feuille ou de l'arbre où a lieu une pluie intensément acide ou légèrement acide mais de façon répétitive, tous ces facteurs influent sur la rapidité avec laquelle il en résultera des feuilles tachées, des aiguilles rabougries, un ralentissement dans la croissance des fibres, une fertilisation et une germination contrariées. Il a fallu plus d'une décennie aux scientifiques pour confirmer que ces conséquences se produisaient à des degrés très divers parmi les différentes essences des forêts. En 1978, par exemple, l'Agence de protection de l'environnement des États-Unis découvrit que la germination des jeunes pins blancs atteignait 98 plutôt que 81 pour cent dans l'est lorsque l'acidité des pluies passait d'un pH de 5.7 à un pH de 4. Mais les sumacs et les érables à sucre, dont le taux de survie n'atteignait que 20 pour cent à 5.7 voyaient celui-ci décliner davantage lorsque les niveaux d'acide s'élevaient. On trouve de tels arbres dans la forêt de Hubbard Brook, mais leur croissance a été dramatiquement freinée. Ils étaient aussi communs dans la région de Sudbury qui, depuis plus de 40 ans, subit d'intenses pluies acides et du dioxyde de soufre, mais ils sont aujourd'hui à toutes fins utiles disparus. Dans les termes du premier rapport de recherches conjoint du Canada et des États-Unis, publié à la mi-octobre 1979 : « les effets sont cumulatifs et intangibles mais s'il fallait attendre suffisamment longtemps pour constater les conséquences évidentes que serait la perte de, disons, de 15 à 20 pour cent de la productivité des forêts, cela pourrait signifier que l'on a atteint une étape de la dégradation des forêts à partir de laquelle il serait impossible de retourner en arrière. Plusieurs caractéristiques de la situation à l'échelle régionale permettent de croire qu'une telle menace existe d'ores et déjà [7]. »

Lorsque la pluie acide a lessivé les feuilles des arbres ou qu'elle s'est frayé un chemin à l'intérieur en les brûlant, elle aboutit dans le sol, un écosystème plus complexe et plus vulnérable que la voûte forestière elle-même. Un sol en bonne santé respire, rejetant l'acide carbonique produit par les organismes, l'activité bactérienne et la décomposition ; cet acide carbonique peut indiquer rapidement l'état de santé du sol. Il n'est guère surprenant que l'Académie royale suédoise de foresterie ait été l'une des premières agences de recherche à confirmer que des sols anormalement acidifiés expiraient des quantités anormalement basses d'acide carbonique [8]. Les organismes et les bactéries constituent les facteurs clé de la conversion de la matière morte et pourrissante telle que feuilles et brindilles en substances nutritives propres à favoriser la croissance de nouvelles plantes. Ce riche terreau, ou humus, sert aussi de liant entre de plus grandes particules de sol, bloque certains minéraux en liaisons chimiques fixes, et en libère certains autres qui seront absorbés par les racines des plantes. L'humus contient de l'azote, le fertilisant essentiel du sol.

Les sols ne sont pas tous semblables bien qu'à la longue tous s'acidifient après des siècles de pluies naturelles légèrement acides qui lentement viennent à bout de leur capacité tampon naturelle en lessivant l'humus, l'azote et les minéraux essentiels. Mais ainsi que les scientifiques l'ont maintenant clairement démontré [9], la pluie acide qui n'est pas d'origine naturelle accélère le processus. Dépouillé de la matière qui constitue l'humus et avec un nombre brusquement réduit de racines qui retiennent le sol en place, le terrain situé aux alentours de Sudbury, en Ontario, a été tout simplement érodé après avoir été arrosé d'acides durant à peine quarante ans. Le peu de sol qu'il y subsiste encore est lourdement entrelacé de métaux tels que zinc,

---

7. U.S.-CANADA RESEARCH CONSULTATION GROUP, *op. cit.*

8. TAMM, C.O., « Acid Precipitation : Biological Effects in Soil and on Forest Vegetation », *Ambio*, vol. 5, n° 5-6, 1976.

9. NATIONAL ATMOSPHERIC DEPOSITION PROGRAM, *op. cit.* : 64–73.

cadmium et cuivre abandonnés en concentrations toxiques lorsque les liaisons chimiques essentielles ont été rompues et que les matières tampons se sont affaiblies, ainsi que l'ont découvert Hutchison et Whitby. Dans des sols plus profonds et moins vulnérables, le processus peut agir durant des décennies, voire des siècles, avant d'en arriver au point critique, mais ce n'est toujours qu'une question de temps. Dans le Midwest américain, des scientifiques ont calculé qu'une chute annuelle de 40 pouces de pluie à pH 4, habituelle de nos jours dans certaines régions, pouvait acidifier le sol de 19 pour cent en un siècle.

Le processus peut être trompeur : au cours de la première étape, les acides peuvent libérer davantage d'azote dans le sol et y provoquer une fertilité apparemment plus grande. Mais à mesure que les pluies acides se poursuivent, cette fertilité décline et les sols recommencent à se dégrader rapidement jusqu'à n'être plus que vieillis prématurément, en mauvaise santé et instables. L'augmentation rapide des concentrations d'aluminium représente une menace particulière. Dans des conditions normales, l'aluminium, qui est le métal le plus abondant de la planète, n'échappe pas à ses liaisons inertes. L'acidification le libère cependant et les racines profondes des plantes et des arbres l'absorbent facilement avant qu'il ne soit à la longue lessivé vers les lacs et les rivières en concentrations meurtrières pour les poissons. De même qu'à la surface des feuilles, les pluies acides peuvent aussi provoquer la croissance des bactéries dommageables dans les sols et, pire encore, remplacer des bactéries bénéfiques par des moisissures dommageables. Les pluies les plus acides tombent de nos jours sur des sols dont la teneur est particulièrement faible en éléments tampons et élevée en métaux. Il pleut au Canada et aux États-Unis de 15 à 32 livres de soufre chaque année sur les sols forestiers appelés podsols, la mince couche de terre du Bouclier canadien et de sa forêt boréale. Plus au sud, dans les Muskokas, les Appalaches, les Adirondacks, les White Mountains, le Minnesota et sur la côte du Pacifique, le processus d'acidification, bien qu'il soit plus lent et varie d'un endroit à l'autre, ne se poursuit pas moins implacablement. Les modifications du sol, ainsi que l'ont fait remarquer plus d'un scientifique, sont les plus difficiles à évaluer mais aussi celles contre lesquelles il est le plus difficile d'agir lorsque le processus s'est poursuivi trop longtemps. Si l'on préfère cependant des signes plus rapides et plus évidents, la dévastation que font subir les acides à l'environnement terrestre et aux récoltes de produits agricoles servent leurs avertissements avec une constance de plus en plus grande.

Les scientifiques attachés à la ferme expérimentale de l'Agence américaine de protection de l'environnement, située à Corvallis, en Oregon, arrosent leurs récoltes avec des pluies acides depuis 1977 et les regardent souffrir. Les expériences sont rigoureusement contrôlées dans des sols où les concentrations de minéraux, de métaux, d'acidité, d'humus et de détritus sont soigneusement mesurées et distribuées. On arrose de pluies acides de même teneur en soufre et en azote que celles de la forêt de Hubbard Brook, dans le New Hampshire, certaines plantes et jeunes pousses dans des serres qui reproduisent l'humidité, l'ensoleillement et la température typiques de cet endroit. Dans certains cas, on ajoute à ces mini-environnements des grenouilles et des salamandres, et on permet aux insectes, aux bactéries et aux moisissures de se développer comme ils le feraient dans leur habitat naturel. Depuis 1977, avec leurs arrosoirs, leurs épandeurs, leurs cadrans et leurs microscopes, ces scientifiques prouvent l'évidence : les pluies acides endommagent les récoltes. En se servant de pluies acides d'un pH inférieur à 3, ce qui est inférieur à la moyenne actuelle dans l'est de l'Amérique du Nord, les scientifiques ont été en mesure de percer en quelques heures des feuilles de plants de haricots blancs. En 24 heures, ces feuilles étaient largement tachées et affectées par l'érosion.

Le même phénomène s'est reproduit avec des feuilles de haricot commun, de haricot Pinto, de betterave, d'érable à sucre et de bouleau jaune. La pluie n'a pas suffi à détruire complètement les feuilles. Mais lorsque les scientifiques eurent déterré, disséqué, pesé et analysé les plantes sous leurs microscopes, ils découvrirent des dommages invisibles à l'œil nu. Même à un pH de 4, niveau moyen des pluies acides dans l'est, les feuilles elles-mêmes étaient normalement légères, leurs gousses reproductrices manquaient de minéraux essentiels et d'éléments nutritifs, et la chlorophylle nécessaire à la photosynthèse se trouvait en quantité réduite [10]. De l'autre côté du continent, au laboratoire natio-

---

10. HINDAWI, I.J. *et al.*, « Response of Bush Bean Exposed to Acid Mist », *American Journal of Botany* 67, 1980 : 168–172.

nal d'Oak Ridge, dans le Tennessee, des chercheurs découvrirent en 1977 que des pluies fortement acidulées réduisaient la résistance des haricots à certains organismes parasites. Ils découvrirent aussi que la capacité des racines des plantes de fixer l'azote vital s'en trouvait réduite. Et à Hawaï, où les pluies acides sont causées par les émissions de dioxyde de soufre d'un volcan avoisinant, les scientifiques découvrirent qu'il leur était impossible de faire pousser des tomates vendables s'ils ne les protégeaient pas de la pluie sous des abris de plastique.

Il s'agissait là des premières expériences, effectuées dans des conditions soigneusement simulées mais anormales ou inventées. Elles furent aussi malheureusement presque les seules qu'on ait tentées au milieu des années 70. Mais en 1979, les laboratoires de Corvallis avaient étendu la variété de leurs récoltes et déménagé des serres aux champs. On y étudiait désormais les effets des pluies acides simulées sur au moins 30 espèces de plantes représentant chacune des cultures les plus importantes du continent. En septembre 1979, à Washington, David Tirpak, le responsable des pluies acides à l'Agence américaine de protection de l'environnement, fit voir aux auteurs les résultats des tests effectués sur la première récolte : dès que le niveau de pH devenait inférieur à 4, le poids des racines fraîches du radis ordinaire tombait brusquement. « Ce n'est que le commencement affirma Tirpak. Nous espérons dans moins d'un an montrer exactement ce que ceci signifie pour d'autres cultures importantes en termes de poids réel de la récolte, de pérodes de croissance et de susceptibilité à d'autres facteurs de l'environnement. Nous ne pouvons pas être certains de ce que nous allons découvrir, mais je suis certain que nous avons ignoré trop longtemps cet aspect des pluies acides. »

Un scientifique canadien devait pour sa part affirmer au cours d'une autre entrevue : « Nous commençons à peine à venir à bout de notre ignorance des effets des pluies acides sur les récoltes ; nous sommes loin d'en être arrivés à des conclusions scientifiques. Mais ce que nous en savons n'est pas tellement encourageant. » On sait que les radis, les tomates, les haricots, la laitue et les betteraves sont affectés par des pluies acides dont le pH est inférieur à 4. Jusqu'ici les conséquences en ont été la perte de poids, l'inhibition de la fixation de l'azote et les dommages causés aux feuilles mais non la destruction. Les dommages ont été en grande partie provoquée dans des environnements artificiels tels que des serres ou des champs expérimentaux soigneusement protégés, durant de brèves périodes de temps, habituellement une saison. Mais ces expériences reproduisent-elles l'environnement réel? Les scientifiques savent qu'une acidification aussi puissante, dont le pH atteint 3,9, survient au cœur même de la saison de croissance dans les régions de Pennsylvanie riches en cultures de légumes. Ils savent que les feuilles de tabac des récoltes expérimentales subissent des dommages allant jusqu'à 40 pour cent dans la région de Stouffville, juste au nord de Toronto, durant les étés où l'écoulement d'ozone associé aux pluies d'acide nitrique se fait particulièrement lourd. Ils savent que dans la région de l'État de New York où les pluies acides sont les plus intenses au cours de l'été, les pommes montrent des cicatrices et des taches inattendues. Mais ils ignorent quels autres facteurs pourraient être à l'œuvre, — acidité des sols, activité microbactérienne, autres polluants en suspension dans l'air —, dans des milliers d'autres régions d'agriculture de base à travers le continent où il tombe des pluies acides. L'ignorance des scientifiques en ce qui a trait aux effets des pluies acides sur l'agriculture est pour l'instant aussi vaste que les régions où les pluies acides tombent.

Il est certain que dans certaines régions où l'agriculture se pratique sur une grande échelle, les sols sont suffisamment chargés d'éléments chimiques neutralisateurs et peuvent être et sont régulièrement fertilisés avec des éléments chimiques neutralisateurs pour prévenir toute acidification soudaine. Le sud de l'Ontario est peut-être l'une de ces régions privilégiées bien que les sols de certaines parties des prospères comtés d'Essex, de Middlesex et de Kent soient anormalement acidifiés. Mais la capacité du sol de résister aux acides sera-t-elle suffisante pour réagir aux contraintes imposées par les acides aux feuilles, aux tiges et aux enveloppes des grains des récoltes? Et pour combien de temps? Et que dire des milliers de milles carrés de terres agricoles non fertilisées ou des régions plus grandes encore où les terres d'élevage ne sont pas entretenues? Quels ont été jusqu'ici les effets des pluies acides, quels effets apparaîtront-ils et dans combien de temps? Il n'existe en ce moment tout simplement pas suffisamment de données scientifiques pour répondre à ces questions.

Et pourtant certaines personnes se servent de ce manque de connaissances pour laisser entendre qu'il n'y a pas de problème. Au début de 1979, par exemple, des scientifiques du Ministère de l'environnement de l'Ontario ont affirmé devant une commission parlementaire qui enquêtait sur les pluies acides « qu'il n'existait pour le moment aucune preuve directe que les pluies acides ambiantes aient quelque conséquence sur la végétation indigène. » Ainsi libellée, l'affirmation était vraie, mais elle négligeait de souligner à quel point on se trouvait dans l'ignorance. L'un des experts du même ministère, le Dr Sam Linzon, qui avait démontré en 1950 que le dioxyde de soufre affectait les arbres près des fonderies de Sudbury, fournit des assurances similaires vers la fin de 1979. Au cours d'une réunion de groupes concernés par l'environnement tenue en octobre, Linzon attira l'attention sur un rapport suédois datant de 1976 et portant sur les effets des pluies acides sur la végétation et le sol forestiers. Linzon avait même souligné ce qui lui semblait être une phrase-clé dans l'introduction : « En conséquence, il n'existe aucune preuve directe que les pluies dont le niveau d'acidité est habituel dans le sud de la Scandinavie aient affecté défavorablement la croissance des arbres. » Ce rapport, rédigé par Carl Olaf Tamm constatait la difficulté d'établir le lien entre les pluies acides et leur impact immédiat et mesurable sur les forêts sauvages mais poursuivait en documentant les résultats d'études en laboratoire et d'expériences sur le terrain. Linzon avait toutefois omis de souligner la *conclusion*, tout aussi importante, du rapport de Tamm : « Compte tenu de ce que la mécanique des sols a été affectée dans certains de ses aspects par les expériences d'acidification, la conclusion la plus probable semble être que les écosystèmes des forêts scandinaves *sont* affectés par les pluies acides de telle sorte qu'à la longue cela signifie une diminution de la croissance. » (Les italiques sont de nous). Linzon décida en outre de ne pas attirer l'attention sur une conclusion similaire à laquelle aboutissait la première évaluation canado-américaine des pluies acides, publiée quelques jours plus tôt : « Tout indique que les précipitations de pluies acides nuisent aux récoltes. »

Ainsi que la commission parlementaire ontarienne le faisait observer dans son rapport de 1979, l'absence de preuves absolues en ce qui a trait aux dommages causés par les pluies acides ne permet pas de conclure à l'inexistence de tels dommages. Il faut absolument reconnaître que le danger d'impacts cumulatifs et intangibles, voire synergétiques, existe bel et bien. Ce rapport de la commission attirait de plus l'attention sur le fait que, selon toute probabilité, la population n'était pas prévenue de ce danger. Il existe un truisme selon lequel l'ignorance confine à la béatitude. Mais nous pouvons affirmer, en paraphrasant un dicton plus important, que l'ignorance ne constitue pas une défense aux yeux de la loi, ni de la loi de la nature.

Malgré l'évidence, peu de scientifiques sont prêts à risquer davantage que la suggestion de « poursuivre les recherches » dans des directions restreintes tel que sols et végétations spécifiques. Et pourtant, derrière ces visions étroites, il s'agit d'un écosystème complètement interdépendant qui entretient la vie elle-même sur cette petite planète. Il existe déjà des indices d'un affaiblissement de la chaîne alimentaire dont les conséquences sont de mauvais augure pour les mammifères supérieurs. Les poissons et les organismes aquatiques disparaissent des lacs acidifiés. De moins en moins d'organismes et d'insectes sont en mesure de se reproduire et de se nourrir, ce qui affecte l'alimentation d'autres espèces. Les amphibiens tels que grenouilles, crapauds et salamandres sont à leur tour touchés, comme s'ils n'avaient pas déjà suffisamment de difficulté à résister au choc immédiat des pluies acides. Les chercheurs ont découvert, par exemple, que dans les Adirondacks les œufs des salamandres tachetées se déforment rapidement et ne parviennent pas à éclore lorsque des pluies à peine plus acides que la normale, c'est-à-dire dont le pH s'élève à 5,6, s'accumule dans les étangs. De nos jours, la population en salamandres des Adirondacks est anormalement basse, de même que le pH des pluies et des neiges qui y tombent.[11] Il semble que la population en grenouilles des lacs du parc Killarny ait décliné, et en Scandinavie on a déjà confirmé que le même phénomène se produit.

Les salamandres et les grenouilles se nourrissaient d'insectes ; les ratons-laveurs, les mouffettes, les oiseaux, les musaraignes et les renards se nourrissaient d'amphibiens ; les plus gros mammifères à leur tour se nourrissaient de tous ceux-ci ; les effets des

11. POUGH, E.H., « Acid Precipitation and Embryonic Mortality of Spotted Salamanders », *Science* 192, 1976 : et BRODDE, *op. cit.*

pluies acides se déplacent le long de la chaîne alimentaire biologique. La population de grands tétras et de tétras lyre a décliné en Norvège, possiblement à cause de l'empoisonnement par l'acide des insectes ou au manque de cette nourriture vitale pour les oisillons. Des oiseaux-pêcheurs tels que les harles ont quitté les lacs acidifiés de la côte ouest de la Suède en quête de meilleurs approvisionnements en nourriture. Le huart, enfin, un oiseau dont le chant obsédant a durant longtemps symbolisé au centre de l'Ontario l'environnement propre et naturel dont croient jouir un million d'occupants de maisons de campagne en s'assoyant sur leurs quais et leurs plages, se fait entendre de moins en moins souvent. Il est certain qu'il faut poursuivre les recherches. Bien sûr, plusieurs facteurs peuvent contribuer au déclin des populations animales. Mais tout en continuant à faire circuler des rapports et à distribuer de l'argent, nous pourrions peut-être prendre le temps de nous souvenir que si nous empoisonnons à la base le cycle de la nature, nous en subirons les conséquences.

# 4

# Les acides
# et la population

À ce jour, la recherche sur les dommages causés par les pluies acides à l'environnement terrestre demeure presque négligeable par rapport à l'étendue du problème et reste cachée dans des articles techniques et des rapports circonspects. Mais l'une de leurs répercussions saute aux yeux de plusieurs Nord-Américains : il s'agit de la réduction de la visibilité. Ainsi que le faisait remarquer le coordinateur des études sur les pluies acides de l'Agence américaine de protection de l'environnement au cours d'une entrevue en septembre 1979, on ne constatait en 1958 une visibilité moyenne inférieure à 8 milles que dans la région comprise entre le New Jersey et le Connecticut. Mais la zone de faible visibilité avait doublé en 1968, ainsi que l'indiquent les rapports des aéroports et d'autres observateurs météorologiques. Et en 1973, la presque *totalité* des États-Unis à l'est du Missis-sippi devait endurer une visibilité maximale de 8 milles. Entre New York et Richmond, en Virginie, la visibilité se voyait réduite à au mieux quatre milles dans trois régions. Tirpak établit un lien entre cette brusque réduction de la visibilité et le dioxyde de soufre (ainsi que le monoxyde de carbone) dont les émissions polluantes se sont brusquement accrues au cours de la même période. Ce genre de smog aux acides et à l'ozone qui constituait jadis un événement rare dans la plupart des villes, à l'exception notoire de Los Angeles, se retrouve fréquemment de nos jours sur la côte est sous le vent des cheminées des centrales énergétiques et des industries lourdes de la vallée de l'Ohio et du Mississippi. On a relevé de plus en plus fréquemment de telles brumasses au-dessus des côtes atlantiques du Canada où aboutit une bonne partie de la pollution américaine. Il n'est guère surprenant dans ces conditions que les avions soient souvent obligés de s'en remettre au radar et aux instruments de navigation jusqu'au moment où ils se posent à New York, même en plein jour.

L'accroissement de la brumasse acide ne gêne pas que la navigation aérienne. Elle réduit l'ensoleillement de la terre qui, de son côté pourrait désorganiser la photosynthèse génératrice d'oxygène dans les plantes, les processus d'évaporation et de condensation qui permettent à l'humidité de pénétrer les sols, la végétation et l'atmosphère et de s'en échapper, le réchauffement et le rafraîchissement du sol et des masses d'air à basse altitude. Il est impossible pour le moment de savoir quels ont été jusqu'à maintenant les effets de la brumasse polluante. Elle pourrait provoquer une augmentation des températures moyennes en emprisonnant sous elle de l'air chaud ou une diminution en laissant de moins en moins passer la lumière du soleil. Les scientifiques ne se prononcent pas encore bien qu'ils aient prévenu qu'une variation de seulement 2 degrés Celsius pourrait avoir des conséquences dévastatrices sur la température et l'agriculture régionales. Les mêmes scientifiques ont déjà lancé des cris d'alarme au sujet d'un problème atmosphérique apparenté : l'accumulation de concentrations d'acide carbonique à haute altitude autour de la terre, qui provoque un « effet serre ». À l'instar de la brumasse acide mais avec une beaucoup plus grande efficacité, l'acide carbonique réfléchit davantage de lumière du soleil et de chaleur vers l'espace et emprisonne possiblement davantage d'air chaud près de la terre. On ne sait pas encore si à la longue la terre se réchauffera ou se refroidira. Mais on sait que le taux d'acide carbonique a augmenté de 3 pour cent par décennie depuis plus de 50 ans et que le taux de l'époque pré-industrielle aura doublé en 1999. Il est possible qu'au début du

$21^e$ siècle le monde ait à faire face à des « conséquences sociales, économiques, ambiantes et écologiques » plus importantes que tout ce qu'on aura pu imaginer[1]. En 1977, la communauté scientifique américaine a déclaré que l'accumulation de l'acide carbonique et ses conséquences constituaient l'une des plus grandes menaces pour l'environnement auxquelles aient à faire face le continent et le monde entier. L'acide carbonique provient des même sources que les pluies acides : les cheminées et les tuyaux d'échappement d'une société lourdement industrialisée et industrieusement mobile. En 1978, les conseillers du Président des États-Unis en matière de qualité de l'environnement ont reconnu que les pluies acides constituaient une menace tout aussi dangereuse. du moins en Amérique du Nord.

Mais l'affaiblissement de la visibilité n'est pas la seule conséquence de la pollution par l'air acide sur l'environnement humain. Dès le milieu des années 40, les Suédois ont étudié les taux de corrosion de métaux typiques sous l'effet de la pollution de l'air[2]. Du milieu des années 40 au milieu des années 60, le taux de corrosion des métaux qui servaient d'étalons a doublé dans les régions rurales et augmenté de six fois dans les concentrations urbaines. On a accusé de cet accroissement l'augmentation du volume de dioxyde de soufre et de poussière dans l'air. Une plaque d'acier galvanisé, par exemple, nécessitait après seulement 4 ans d'exposition à l'air urbain une couche de peinture pour cacher les marques de trous et la corrosion de sa surface. Le même genre de métal pouvait demeurer sans tache durant 25 ans à l'air relativement propre des communautés urbaines situés au nord du dioxyde de soufre urbain ou entraîné par le vent. L'écoulement de l'air chargé de pluies acides avait augmenté de façon dramatique en Scandinavie entre les années 40 et les années 60.

L'acier recouvert de l'habituelle peinture anti-rouille n'était pas non plus à l'abri du dioxyde de soufre qui pénètre et affaiblit

1. ODEN, Svante, « The Acidity Problem : An Outline of Concepts », *Water, Air and Soil Pollution* 6, 1976 : 137–166.

2. SWEDISH ROYAL MINISTRY FOR FOREIGN AFFAIRS AND ROYAL MINISTRY OF AGRICULTURE, *Air Pollution Across National Boundaries — The Impact on the Environment of Sulfur in Air and Precipitation — Sweden's Case Study for the United Nations Conference on the Human Environment*, août 1971.

les capacités adhésives de la peinture. Le bois peint était tout aussi vulnérable, selon les Suédois, avant l'introduction dans la fabrication des peintures au milieu des années 60 d'agents chimiques moins susceptibles aux acides et, en particulier, des composés entièrement synthétiques du latex. Mais les Suédois ont relevé, documents à l'appui, de sérieuses détériorations de matériaux rarement peints tels que le grès, le calcaire, le béton et le plâtre. Le calcium contenu dans ces matériaux a été transformé en sulfate de calcium qui s'effrite en présence du dioxyde de soufre. Dans certains cas, la chaux utilisée dans le ciment a fini par être lessivée en taches blanches de l'apparence du sel.

Depuis cette époque, on a démontré que le dioxyde de soufre est la principale constituante de l'air pollué qui a érodé le Parthénon à Athènes, les piliers de Venise, le Colisée et même certains monuments en Amérique du Nord. Dans la plupart des cas la pollution de l'air est localisée, mais pas toujours : les enquêteurs américains étudient de nos jours les pierres tombales d'un bout à l'autre du continent dans le but d'y découvrir des indicateurs possibles du niveau des dommages causés par les pluies acides. En 1978, les conseillers du Président des États-Unis en matière de qualité de l'environnement ont estimé sommairement à 2 milliards de dollars par année les dommages causés par les pluies acides à l'architecture et à la statuaire. Il était impossible de prévoir dans combien de temps les structures pourraient être sérieusement endommagées.

Les cieux brumasseux, la peinture cloquée et les métaux corrodés sont visibles à nos yeux à tous mais l'effet des pluies acides sur l'eau que nous buvons demeure un problème auquel nous prêtons beaucoup moins d'attention. Dans 30 communautés des Adirondacks, dans l'État de New York, les fonctionnaires du département de la santé ont découvert que les installations des réservoirs publics étaient anormalement corrosives, non qu'elles fussent nécessairement très acidifiées mais plutôt très faibles en capacité tampon, si faibles en fait que l'addition de chlore ne réussissait qu'à rendre l'eau plus corrosive encore. Le Dr Wolfang Fuhs, un spécialiste de la santé de l'État de New York, découvrit même que, dans certaines résidences, les tuyaux de cuivre étaient corrodés par cette eau [3]. L'eau chaude est plus

3. FUHS, G.W., *A Contribution to the Assesment of Health Effects of Acid Precipitation*, N.Y. State Department of Health, Albany, N.Y., 1979.

corrosive que l'eau froide et lorsqu'on lui permet de dormir durant plusieurs jours, le taux en cuivre peut s'élever au-delà des limites maximum pour l'eau potable aux États-Unis et atteindre des niveaux de concentration toxique. La même eau corrosive lessive le plomb des joints de soudure des tuyaux de métal et les chercheurs de Fuhs ont découvert des taux excessifs de plomb dans l'eau de puits privés avant même que celle-ci ne circule dans la tuyauterie. (Le plomb est un poison subtil et cumulatif, particulièrement dangereux pour les enfants.) Ces découvertes ont été effectuées dans l'une des régions les plus exposées aux pluies acides du continent, une région dont les vieilles installations et les puits privés manquent de systèmes de traitement adéquats. À la fin de 1979, on ne relevait encore aucun cas d'empoisonnement par le métal, mais l'État a prévenu les habitants de la région de vider leurs tuyaux une fois par jour avant usage et de ne pas utiliser de tuyaux de cuivre dans les nouvelles constructions. En Suède, où le même problème se pose, certaines municipalités sont tenues d'ajouter des agents chimiques neutralisateurs à leurs réserves d'eau. L'État de New York a aussi découvert dans les Adirondacks une recrudescence de gastro-entérites coïncidant avec l'émergence d'une bactérie habituellement rare mais capable de résister aux acides dont sont affligés les réservoirs d'eau. Et ainsi que l'ont démontré dans les Maritimes et à Terre-Neuve des études qui font autorité, les risques de maladies cardio-vasculaires sont plus élevés dans les régions approvisionnées en eau douce (de faible alcalinité) acidifiée.

En Ontario, le ministère de l'environnement a évalué le risque de corrosion des conduites d'eau par l'acide et n'en a pas tenu compte, bien que les eaux y soient de façon frappante similaires à celles des Adirondacks. En réponse à un article faisant état de rapports américains sur la corrosion par les pluies acides du plomb contenu dans les anciens systèmes d'approvisionnement en eau paru dans le *Star* de Toronto, le ministre ontarien de l'environnement, Harry Parrott, écrivait en avril 1979 qu'il n'y avait pas de raison de s'inquiéter dans cette province. La plupart des conduites d'eau, tant publiques que privées, disait-il, sont faites de cuivre et non de plomb. Lorsqu'en juin le leader de l'opposition Stuart Smith lui fit remarquer que les rapports en provenance de l'État de New York faisaient état de conduites de cuivre et de soudures de plomb, Parrott alla jusqu'à admettre « qu'après plus ample réflexion, peut-être pouvait-on assumer que [sa] déclaration [au *Star* de Toronto] ne tient pas compte de tous les facteurs en cause [4]. »

Dans sa réponse à bâtons rompus au leader de l'opposition Smith, Parrott soutenait entre autres arguments que les vacanciers des lacs ontariens acidifiés abandonnaient leurs maisons de campagne à l'automne après avoir vidé leurs conduites d'eau de façon à éviter qu'elles ne gèlent et ne se fissurent au cours de l'hiver. Il ne discuta ni des approvisionnements à court terme en eau durant l'été ni de la nécessité de jeter un coup d'œil aux communautés qui s'approvisionnent constamment en eau dans les lacs acidifiés. Il affirme par contre qu'il serait « presque impossible de prévenir tous les vancanciers... [que] ce serait peut-être impossible. » Parrott reconnut que l'avertissement servi aux vacanciers d'éviter l'eau qui a dormi trop longtemps dans les conduites « est raisonnable et [que] la population devrait tenir compte de cet avertissement. » Il ajouta que le simple fait de soulever cette question « devrait sans doute constituer un avertissement suffisant. » Mais les résidents de l'Ontario ne lisent pas pour la plupart la transcription des débats de la législature ontarienne.

Il est à peine surprenant, compte tenu d'un tel leadership et d'une telle détermination face à un problème tel que les conduites d'eau, que les effets plus importants des pluies acides sur la santé humaine aient été ignorés. Le rapport de la commission parlementaire ontarienne mentionnait effectivement qu'un « soupçon » existait selon lequel « au cours des prochaines années, on découvrira davantage d'effets négatifs sur la santé humaine. » Le rapport conjoint canado-américain de 1979 ne faisait pas la moindre allusion à la santé ; quel gouvernement voudrait risquer de s'aventurer sur un tel terrain ? On connaît pourtant bien depuis plusieurs années les effets directs du dioxyde de soufre à hautes concentrations : maux de gorge, toux, irritation des poumons et même sérieux dommages aux poumons eux-mêmes. Le Canada et les États-Unis imposent des limites aux concentrations permises dans l'air ambiant et l'air « typique ». Lorsque

---

4. Legislative Assembly of Ontario, *Hansard*, vol. 3, n° 69, 12 juin 1979 : 2800.

ces limites ont été outrepassées, l'incidence des maladies respiratoires s'est accrue de beaucoup. Lorsque la pollution par dioxyde de soufre atteint des niveaux extrêmes et prolongés, on assiste à des horreurs telles que le « smog meurtrier » de décembre 1952 qui a fait plus de 4 000 victimes à Londres. Le risque de la répétition d'un tel événement a forcé l'Angleterre à freiner la combustion de charbon dans les villes et à construire de hautes cheminées dans le but de clarifier l'air britannique — au grand dam, plus tard, des Scandinaves. De tels accidents sont peu fréquents en Amérique du Nord et le gouvernement canadien soutient pour sa part constamment que le dioxyde de soufre en concentrations habituelles ne présente aucun risque sérieux pour la santé.

Mais que dire du dioxyde de soufre transformé en sulfates, soit sous forme d'acide, soit sous forme de particules sèches ? Dans son rapport aux Nations Unies en 1972, le gouvernement suédois soulignait l'existence de témoignages de plus en plus accablants selon lesquels de « petites gouttelettes de particules contenant du sulfate ou de l'acide sulfurique sont capables de pénétrer beaucoup plus avant... dans les passages les plus étroits des poumons. » Ceci pourrait se produire même lorsque les niveaux de dioxyde de soufre sont apparemment « sécuritaires » et que celui-ci est absorbé et neutralisé par le nez et la gorge avant d'atteindre les poumons. Les Suédois ont fait part de leur inquiétude face à la possibilité que les pluies acides attaquent la santé humaine, mais reconnurent que les études capables de confirmer leurs soupçons manquaient. Ainsi que le relevait la commission parlementaire ontarienne en 1979, sept ans plus tard, « il n'existe aucune certitude scientifique sur l'étendue et la gravité des effets sur la santé humaine du dioxyde de soufre, des particules de sulfate ou des pluies acides, isolément ou en combinaison. » Quelques mois plus tard, le Dr Leonard Hamilton, responsable de l'évaluation de l'environnement au Brookhaven National Laboratory, de New York, émit l'hypothèse que les composantes des pluies acides pouvaient être responsables chaque année de la mort de 5 000 Canadiens.

Le Dr Hamilton devait expliquer au cours d'une conférence sur les pluies acides tenue à Toronto que l'estimation pour le Canada était une simple projection des chiffres américains qui font état d'au moins 50 000 morts par année. Le modèle des pluies acides, la direction des vents et la distribution pertinents de la population étaient au Canada similaires à ce qu'on retrouvait dans les régions américaines qui subissent le choc des pluies acides, et le processus réel y était absolument identique : les minuscules particules de sulfate sont entraînées dans les poumons où elles endommagent le tissu, provoquant des bronchites, des emphysèmes, forçant le cœur et le système circulatoire, exactement ce que les Suédois soupçonnaient sept ans plus tôt. Hamilton devait souligner que ce taux de mortalité était relativement bas en comparaison avec d'autres risques : il ne s'élevait qu'à 2 pour cent du total annuel des décès aux États-Unis alors que 12 pour cent cent d'entre eux, par exemple, sont dûs à la cigarette. Mais il existait bel et bien un rapport entre les pluies acides et la santé comme en témoignait selon Hamilton la recrudescence des maladies pulmonaires que l'on constatait chaque fois où le taux des sulfates dans l'air de la région de New York demeurait élevé durant une période de 24 heures.

Chaque mètre cube d'air comprenant régulièrement de 10 à 20 microgrammes de sulfate dans l'est des États-Unis, il existe plus que suffisamment de particules en suspension dans l'air capables d'être absorbées par les poumons de milliers de personnes déjà susceptibles aux maladies du cœur et des poumons, sans compter celles qui jouissent apparemment d'une bonne santé, pour causer chaque année au moins 2,7 pour cent des décès enregistrés. Les conclusions auxquelles parvenait Hamilton furent à prime abord peu diffusées par les média d'information : il s'agissait des premières affirmations documentées d'un lien direct entre les pluies acides et la santé, et on accorde beaucoup moins d'espace de nos jours dans la presse écrite aux premiers annonciateurs de crises majeures dans l'environnement qu'à ceux qui prétendent avoir découvert une cure-miracle ou accompli une percée dans le domaine médical. Lorsqu'il a annoncé que les lacs ontariens agonisaient, en 1971, Harold Harvey a dû faire face au même problème.

Les témoignages affluent de nos jours. Robert Mendelsohn, de l'université de Washington, et Guy Orcutt, de l'université Yale, ont avancé, dans un rapport publié en juin 1979, le chiffre de 187 686 décès annuels attribuables à la présence de sulfate dans l'atmosphère aux États-Unis [5]. Ils arrivèrent à cette conclusion en compilant plus de 2 millions de certificats de décès, les relevés démographiques de 3 000 comtés, et les niveaux de pollution de l'air par les sulfates contenus dans les rapports annuels sur la qualité de l'air de l'Agence américaine de protection de l'environnement. Grâce aux évaluations et aux calculs effectués sur ordinateur, les deux universitaires ont découvert que l'augmentation des taux de sulfate dans l'air correspondait à l'augmentation des décès attribuables à toutes causes mais surtout aux maladies cardiaques. Leurs découvertes « constituent un témoignage frappant de ce que les sulfates sont dommageables pour la santé... et de ce qu'il existe un lien bien déterminé entre la pollution et les décès dûs aux défaillances cardiovasculaires. »

Ils indiquèrent aussi qu'il « n'existe aucune preuve d'un seuil moins élevé » ; en d'autres termes, on ne connaît pour le moment aucune concentration minimum de sulfate en suspension dans les pluies acides qui n'élevera pas le taux de mortalité d'une population nombreuse. « Si la société veut éliminer les effets de la pollution de l'air, personne ne doit être exposé aux plus bas niveaux qui soient de... polluants aériens dommageables. » Et puisque la qualité de l'air américain atteint ses plus bas niveaux dans les régions du centre-nord et du nord-est, « la probabilité dans ces deux régions de mourir à cause de la pollution de l'air est environ deux fois plus élevée que dans le reste du pays. » Le Canada possède de beaucoup plus grandes zones où l'air est relativement propre, mais très peu de Canadiens y vivent. Les deux tiers de la population du pays vivent agglutinés à la frontière, tout contre ces régions des États-Unis où l'air est le plus pollué. Il y a tout lieu de croire que la même évaluation sinistre des mortalités dues à la pollution de l'air pourrait s'appliquer au nord-est du Canada. Après tout, les vents soufflent pour une bonne part des États-Unis vers le Canada.

Les média d'informations publiques ont tous gardé le silence jusqu'ici sur l'étude de Mendelsohn et Orcutt. Elle a paru pour la première fois dans une obscure publication scientifique, le genre

5. MENDELSOHN, R. et G. ORCUTT, « An Empirical Analysis of Air Pollution Dose-Response Curves », *Journal of Environmental Economics and Management*, vol. 6, n° 2, 1979 : 85–106.

de publication que les profanes ne consultent habituellement pas. D'autres études existent peut-être déjà dans des publications tout aussi obscures, et certaines contiennent peut-être même des critiques et des réfutations importantes. Les premiers rapports de Harold Harvey sur les lacs agonisants de la région du parc Killarny parurent dans des publications similaires et elles ne rejoignirent un vaste public que cinq ans plus tard. Combien de temps faudra-t-il pour que les dangers des pluies acides pour la santé soient portés à l'attention du public ? Les publications, les rapports et les conférences font en principe partie d'un système de pré-alerte et d'un mécanisme de sondage qui informent la communauté scientifique mondiale. Les scientifiques, de leur côté, sont supposés porter à l'attention de ceux qui prennent les décisions les résultats de leurs recherches. Deux décennies de dépenses qui s'élèvent dans les milliards pour revitaliser les Grands Lacs empoisonnés, d'imposition faite aux fabricants d'automobiles récalcitrants de contrôler la pollution, et d'évacuations complètes d'habitants vivant dans le voisinage d'égoûts chimiques comme Love Canal témoignent de l'importance de notre environnement. Ainsi que l'ont démontré les coûts monumentaux, les souffrances humaines ainsi que des révélations politiques et économiques troublantes, la réaction à la pollution est habituellement beaucoup trop limitée et trop tardive ; la prévention reste la seule solution. Et pourtant, l'information préventive au sujet des pluies acides par la communauté scientifique semble rare en Amérique du Nord. Jamais un contaminant n'a-t-il mieux correspondu à l'aphorisme de Barry Commoner : « tout influe sur tout le reste. » Des cieux empoisonnés signifient des lacs morts signifient des terres empoisonnés signifient des faunes empoisonnées signifient de la nourriture et de l'air empoisonnés. Et pourtant la recherche scientifique sur les pluies acides n'a lancé ses cris d'alarme que lorsqu'elle a démontré que chaque secteur de l'écosystème était déjà endommagé ou mort. Où sont les pré-alertes au sujet de ce qui doit être protégé ? Ceux qui veillent sur les intérêts vitaux de la population sont devenus les gardiens jaloux d'une information muselée.

Un incident survenu au Berdford Institute of Oceanography indique pourquoi l'Amérique du Nord ne fait que commencer à s'intéresser aux pluies acides. Le Bedford Institute of Oceanography est situé le long de rives en face du port de Halifax et ses bâtiments sont rassemblés au sommet de rochers affleurants tels qu'on en voit un peu partout dans la partie sud de la Nouvelle-Écosse. Au milieu d'octobre 1979, 85 scientistes nord-américains s'y rencontrèrent deux jours durant pour discuter des effets des pluies acides sur les régions situées le plus à l'est de l'Amérique du Nord et des solutions à apporter à ce problème.

La rencontre avait lieu dans une salle de réunion située près de l'énorme pont John A. Macdonald par où des dizaines de milliers d'automobiles traversent le port et créent des embouteillages deux fois par jour. De l'autre côté des fenêtres de la salle de réunion, trois cheminées géantes de la centrale énergétique locale, décorées comme des cannes à sucre, ajoutaient des traînées de brumasse au ciel gris de Halifax, bien connu pour son brouillard. Cette rencontre aurait dû avoir lieu depuis longtemps, ainsi que le fit remarquer dès l'ouverture des débats, le Dr Rod Shaw, responsable du service régional de la pollution de l'air d'Environnement Canada. Les provinces de l'Atlantique sont situées en quelque sorte dans la partie étroite d'un entonnoir de systèmes météorologiques dominants qui prennent naissance au-dessus de l'Ohio, de l'État de New York et de l'Ontario avant de converger vers la côte est. Chaque mois, le vent souffle 20 jours sur 30 dans l'entonnoir en entraînant vers l'est les oxydes de soufre et d'azote, les métaux lourds et les résidus en suspension dans l'air de l'Amérique du Nord industrielle.

Les premières séances de la rencontre furent consacrées à passer en revue ce que l'on savait déjà : la zone Atlantique canadienne subissait d'intenses chutes de pluies acides. À elle seule, la Nouvelle-Écosse recevait chaque année plus de 35 000 tonnes d'acide sulfurique et d'acide nitrique ; 600 000 tonnes de sulfate tombaient dans la région, soit de 7 à 15 livres par acre. La pluie y était 10 fois plus acide que 20 ans plus tôt ; le nombre des jours brumeux où la visibilité se trouvait réduite, avait triplé. Et, inévitablement, la pluie avait causé ses dégâts. La population en saumons de rivières importantes comme la Moira se voyait réduite de moitié parce que le pH de l'eau atteignait 4,6 en 1978, une acidité beaucoup trop élevée pour que les nouveau-nés puissent y survivre. Les sols minces et le fond rocheux de la Nouvelle-Écosse manquaient de profondeur et d'éléments chimiques capables de neutraliser les acides. D'autres espèces de poissons déclinaient à cause du choc qu'ils subissaient par les acides au printemps. Ainsi que devait l'affirmer un expert fédéral en pêcheries, Walton Watt, au cours d'une entrevue, « à elle seule, la preuve des dommages causés aux pêcheries suffit à me convaincre que nous devons agir immédiatement pour arrêter les pluies acides. »

Les représentants des instituts canadiens de recherche en foresterie furent beaucoup plus circonspects. Un analyste des politiques touchant l'environnement, le Dr Peter Rennie, consacra une bonne part d'un après-midi à passer en revue différentes théories concernant les dommages possiblement causés par les pluies acides aux forêts et à la végétation, dont certaines indiquaient qu'à la longue les dommages étaient inévitables. Mais il en conclut qu'il n'existait aucune preuve de la validité de ces théories. Le Dr Keith Puckett, du service de l'environnement atmosphérique, fut plus direct au cours de son exposé : « Rien ne permet de croire à l'existence d'un effet direct ou indirect des pluies acides sur la végétation. » Et le Dr Surin Sidhu, du Centre fédéral de recherche en foresterie de Terre-Neuve, rapporta qu'« au cours de 2 ou 3 dernières années, on n'avait pas fait grand-chose » pour établir la susceptibilité de la végétation aux pluies acides.

Les conclusions des trois scientifiques étonnaient par le ferme discrédit qu'elles jetaient sur les dommages causés aux forêts et à la végétation ainsi que par l'évidence de leur intérêt limité. Leurs affirmations contredisaient littéralement le rapport scientifique conjoint canado-américain sur les pluies acides qui venait d'être rendu public, après des mois de délais, seulement quatre jours plus tôt. Ce rapport, sur lequel on avait délibérément attiré l'attention des média d'information, prévenait que « tout semblait indiquer que les pluies acides sont dommageables pour les récoltes. » Il attirait aussi l'attention sur le fait que l'industrie forestière canadienne, opérant sous un nuage d'acide, constituait une ressource d'une valeur énorme. Ainsi que plus d'un scientifique ontarien inquiet devait le souligner au cours de la lente prise de conscience du public face au problème des pluies acides en 1979, celui-ci ne se déciderait à exiger l'arrêt des pluies acides que sous la menace de pertes économiques énormes dans l'agriculture ou la foresterie (il n'était pas encore question de la santé). Les poissons et les lacs morts ne suffisaient pas.

Pourtant Rennie, Puckett et Sidhu semblaient conclure que de tels risques n'existaient pas, ou, tout au moins, qu'ils étaient exagérés par les média. Une discussion aussi intéressante qu'imprévue éclata entre les trois « experts » et un journaliste de passage ainsi que le directeur d'un groupe concerné par l'environnement au sujet de l'idée que devait se faire le public d'une telle expression de manque d'intérêt. Pressé de s'expliquer, Rennie répliqua qu'« il n'existe aucun document qui fasse clairement et de façon non équivoque état de dommages subis par la végétation. » On lui opposa des rapports concernant des dommages aux récoltes au Michigan, les expériences américaines qui avaient produit une chute de 50 pour cent dans le poids des légumes frais et les études suédoises. Mais « pour autant que je sache, rétorqua Puckett, on ne constate d'effets négatifs sur les récoltes que lors d'expériences simulées. Nous ne possédons aucune donnée qui s'appuie sur une recherche entreprise sur le terrain. » De son côté, Rennie ajouta que les dommages subis par une récolte de haricots au Michigan pouvaient être attribués aux pluies acides mais aussi à d'autres facteurs. Il soutint qu'il n'était pas prêt à établir le lien entre les pluies acides et quelque dommage que ce soit.

Il n'avait rien constaté « sur le terrain ». Aucun des trois experts ne commenta les études suédoises ou ne mentionna Hubbard Brook. Et malgré les pressions exercées sur eux, ni l'un ni les autres ne voulurent dire ce qu'ils espéraient ou prévoyaient découvrir dans les études sur les pluies acides et la végétation. Sidhu reconnut toutefois qu'« une réduction de 20 pour cent de la croissance des forêts pourrait survenir sans que nous nous en apercevions. » Mais il était évident qu'à défaut de preuves définitives, basées sur des années de vérifications attentives, aucun des trois ne se sentait disposé à émettre des hypothèses, à faire des prédictions ou à rédiger des ordonnances dans le but d'entreprendre une action préventive propre à contrecarrer des dommages qui auraient pu tout d'abord passer inaperçus.

Cette discussion frustrante contrastait nettement avec la première intervention de ces rencontres, alors que le directeur pour la région atlantique d'Environnement Canada affirmait : « Nous courons le risque d'agir trop peu avant que les dommages ne soient subis. Pouvons-nous attendre d'étudier tous les impacts avant de commencer à contrôler les pluies acides? Il est évident que nous ne le pouvons pas. » Comme le rappelait poliment à ses collègues le conférencier, le Dr J.C. Edmonds, le conservatisme traditionnel de la profession et sa répugnance à défendre des idées agressives ou prophétiques étaient en soi hasardeux. Edmonds ajouta que la pensée d'une modification extrême de l'environnement de l'ensemble de la zone atlantique ou d'une bonne partie de l'est de l'Amérique du Nord était « trop grave » pour que les scientifiques se paient le luxe d'un désintéressement total et presque abstrait face aux réalités politiques des pluies acides. Rennie, Puckett et Sidhu décidèrent de ne pas tenir compte de ces aimables réprimandes, ce qui ne pouvait guère surprendre de la part d'agences scientifiques du gouvernement canadien, peu connues pour leur franc-parler ou leur indépendance politique. Les trois experts se contentèrent d'interventions atrocement scientifiques qui ne furent pas d'un grand secours. Aucun des trois ne voulut faire de commentaires sur la place que prendraient leurs évaluations dans une action propre à enrayer les pluies acides aussitôt que possible. Le rapport conjoint canado-américain, auquel Rennie avait contribué, commentait d'une façon presque prémonitoire l'approche de Rennie, Puckett et Sidhu face au problème: « Il est évidemment inacceptable d'attendre une démonstrations sans équivoque de dommages (par exemple un déclin de la productivité forestière de 15 à 20 pour cent). Les pertes économiques pourraient alors êtres importantes et la dégradation du site serait irréversible. »

Mais à l'Institut, les discussions étaient de nature « scientifique » et trop de questions par les média invités sur les implications réelles des pluies acides sur les forêts constituaient une interruption superflue. On leva la séance pour la pause-café. Il existait heureusement une autre interprétation de la pertinence et des implications des études portant sur les dommages causés aux forêts par les pluies acides. Eville Gorham, un biologiste du Minnesota qui avait effectué du travail de recherche en Nouvelle-Écosse avant de travailler à Sudbury et en Scandinavie, puis de devenir conseiller lors de la préparation du rapport sur les pluies acides des conseillers du Président des États-Unis en matière de qualité de l'environnement, ne mâcha pas particulièrement ses mots lorsqu'il aborda les sujets dont ses collègues scientifiques avaient parlé.

Lors d'une entrevue avec les auteurs, Gorhan émit l'opinion que face aux pluies acides qui semblent être pour le moment hors de contrôle jusqu'à la fin du siècle, les scientifiques avaient une responsabilité sociale et politique évidente. « Lorsqu'il s'agit d'une question de cette importance, dit-il, je ne peux comprendre que l'on s'isole dans une tour d'ivoire en se contentant de rapporter ce qui est déjà arrivé s'il est possible de le prévenir en extrapolant rationnellement et en défendant cette cause. » Il reconnut qu'à tout le moins les preuves telles qu'elles existent « indiquent en toute logique que des dommages sont causés » par les pluies acides aux forêts et aux récoltes. « Cette raison suffit en soi à soutenir l'idée d'un contrôle de la pollution », poursuivit-il. Il reconnut aussi que l'aversion tant de la population que des corporations à l'égard du prix des contraintes ne serait pas surmontée par des scientifiques qui refusent d'esquisser les conséquences invraisemblables d'une absence de réaction. « Je suis certain qu'il était impossible de convaincre les Romains que leur empire s'apprêtait à s'effondrer, fit-il observer. Il a fallu les 4 000 morts du brouillard meurtrier de 52 à Londres pour modifier le point de vue de l'Angleterre au sujet de la pollution. Faudra-t-il attendre qu'une catastrophe se produise ici pour modifier notre point de vue sur les pluies acides ? »

Mais ce n'est qu'avec beaucoup de réticences qu'Eville Gorham, biologiste, professeur d'université et conseiller présidentiel en matière de pluies acides, voulut faire ses propres prédictions : « Oui, dit-il, je prévois que les pluies acides causeront des dommages aux forêts et aux récoltes. » Ainsi Gorham ne parla-t-il franchement qu'au cours d'une conversation privée, et non pas dans la salle de réunion de l'Institut où se trouvaient ses collègues scientifiques.

La tentative faite à son corps défendant par Gorham d'impliquer les scientifiques dans le débat arrivait plus d'un an après qu'un expert du gouvernement ontarien en toxicité de l'eau, le Dr Tom Brydges, eut fourni une explication succinte de la longue négligence dont les pluies acides avaient fait l'objet : « Après coup, dit-il, j'imagine qu'il nous manquait la clairvoyance pour les prendre au sérieux. » Il discutait alors des raisons pour lesquelles les scientifiques nord-américains avaient ignoré l'avertissement lancé en 1971 par les Suédois selon qui la dévastation causée là-bas par les pluies acides « pourrait

# 5

# Les aspects financiers des acides

Les exploitants des chalets de pêche du nord de l'Ontario ne sont pas particulièrement optimistes par les temps qui courent. Les propriétaires de plus des trois quarts des 1 600 chalets et lieux de séjour situés où les routes ne passent plus, disséminés à travers le nord, affirment que leurs perspectives pour les cinq prochaines années sont plus aléatoires que d'habitude. Ayant investi plus de 65 millions de dollars de leur propre argent depuis 1972 dans des bâtiments, des cabanes et des embarcations, ils ont développé une certaine circonspection quand il s'agit de leur industrie et de ses ressources. Ainsi qu'ils devaient l'affirmer à des chercheurs du gouvernement lors d'une enquête effectuée en 1978, leurs dépenses augmentent et leurs ressources, telles que le doré, le grand brochet, la truite de ruisseau, la truite arc-en-ciel et la truite de lac, qui attirent les Américains dont est constituée 65 pour cent de leur clientèle, déclinent [1]. Près de 85 pour cent de

1. Ruston/Shanahan & Asso. Ltd., Hough, Stansbury & Assoc. Ltd., et Jack B. Ellis and Assoc. Ltd., *The Fishing and Hunting Lodge Industry in Ontario*, Rapport préparé pour l'Ontario Ministry of Northern Affairs et le Northern Ontario Tourist Outfitters Association, janvier 1979.

ces Américains n'entreprenaient ce voyage de 700 milles en moyenne vers le nord, et ne dépensaient chaque fois 675 $, que pour une seule raison : la pêche. Et ainsi que les chercheurs du ministère des Affaires indiennes et du Nord l'ont rapporté plus tard, ces Américains, et ces Canadiens, génèrent des revenus directs et indirects de plus de 120 millions de dollars par année et créent plus de 10 pour cent des 200 000 emplois disponibles dans le Nord.

Le rapport du gouvernement soulignait aussi que plus les chercheurs se déplaçaient vers l'est à travers les étendues sauvages de l'Ontario, plus ils rencontraient d'exploitants de chalets de pêche désespérés. Dans les régions de Sudbury, de Témiscamingue et de Nipissing, situées dans le nord-est de l'Ontario où se trouvent près de la moitié des chalets du Nord, d'un tiers à la moitié des exploitants étaient carrément pessimistes à propos de leur éventuelle prospérité. Le rapport ne mentionnait pas que le nord-est était la région qui subissait le plus grand nombre de pluies acides et préférait attribuer le déclin des poissons à des cycles de population, à une pêche trop abondante, et à une vague pollution urbaine et industrielle, tout en proposant de nombreuses recommandations en vue d'études ultérieures. On y proposait un repeuplement accru en poissons, de même qu'une campagne de publicité destinée à nous rappeler à tous que nos ressources aquatiques étaient sous le coup d'une « contrainte ». On pouvait aussi y lire le sinistre avertissement que « les pêcheurs seraient obligés d'accepter une chute des standards de qualité. »

Mais ainsi que le découvrit un exploitant de chalets de pêche en 1979, bien davantage que la « qualité » était en cause. Jerry Liddle, un jeune exploitant dont la famille opère trois chalets dans la région de Wawa, située dans le Nord, demanda une subvention au ministère provincial de l'Environnement en 1978 dans le but de mener une enquête approfondie sur les pluies acides et sur leurs implications pour son industrie. Ainsi qu'il l'avait soupçonné, le gouvernement provincial (et surtout pas l'étude du ministère des Affaires indiennes et du Nord) n'avait rien envisagé de cet ordre dans ses particularités. Liddle ne reçut toutefois que quelques milliers de dollars, non pas de l'une des officines consacrées à la recherche à long terme et à l'élaboration des politiques du ministère de l'Environnement, mais de l'équipe déjà alarmée et surchargée dont relevaient les pêcheries et la qualité de l'eau. Les fonds couvraient à peine ceux qu'avait engagés Liddle pour reproduire et poster un simple questionnaire, mais ils lui suffirent pour parvenir à quelques conclusions sommaires vers la fin de 1979[2]. Ses collègues des chalets de pêche ne connaissaient rien ou à peu près des pluies acides, mais ils savaient que leurs affaires déclinaient. Il résuma ainsi le problème : « La tendance est aux poissons de plus en plus petits, à l'absence de gros poissons ou de frai, et à la difficulté de plus en plus grande d'attraper du poisson. » Son résumé ressemblait de façon frappante aux conclusions auxquelles était parvenu exactement une décennie plus tôt le chercheur Harold Harvey, de l'Université de Toronto, à propos des lacs du parc Killarny dans le nord de l'Ontario, lacs qui avaient été tués par les pluies acides.

« La qualité de la ressource a décliné, surtout au cours des 10 dernières années, devait ajouter Liddle. Combien de temps l'industrie sera-t-elle en mesure de survivre ? » Grâce aux données du ministère de l'Environnement sur les lacs assiégés du nord-est de l'Ontario, Liddle trouva une réponse : près de 600 chalets de pêche pourraient fermer en moins de 20 ans si les pluies acides continuent, éliminant 6 000 emplois et 28 millions de dollars de revenus annuels dans la région. Le ministre de l'Environnement ne réagit pas particulièrement en recevant son rapport, mais Jerry Liddle avait laissé entrevoir la pointe d'un iceberg. Les chalets de pêche qu'avait étudiés Liddle ne servaient que pour 12 pour cent des plus de 16 millions de « sorties » qui ont lieu en moyenne chaque année. D'après les statistiques du gouvernement de l'Ontario, près d'un homme sur deux et une femme sur trois parmi les résidents de la province s'adonnent à la pêche tout en dépensant en moyenne 154 $ par année pour leurs hameçons, leurs cannes, leurs appâts, leurs cuissardes et autres accessoires. En leur ajoutant les Américains qui font le voyage vers le nord, ces pêcheurs ont dépensé en 1975, une année typique, la somme incroyable de 450 millions de dollars. Le pêcheur ontarien voyage en moyenne moins de 350 milles, ce qui signifie qu'il se rend dans des régions du Nord telles que Muskoka-Parry Sound, Haliburton et Sudbury-North Bay où

---

2. LIDDLE, Jerry, *Potential Socio-Economic Impacts of Acid Rain.* Une intervention au séminaire sur les pluies acides le 2 novembre 1979 à Toronto.

l'on pêche déjà trop. Les études effectuées tant par Jerry Liddle que par le gouvernement montrent que cinq pêcheurs se rendent dans le Nord-est pour chaque poisson disponible. C'est dans cette région que les pluies acides sont les plus abondantes et tombent sur les 140 lacs dont on sait qu'ils sont déjà morts d'acidification de même que sur les 48 000 autres dont on estime qu'ils sont compromis de la même façon.

Au milieu de 1980, il n'existait aucune étude du gouvernement de l'Ontario sur l'impact économique des lacs morts. Il avait en fait fallu attendre le début de 1980 pour que la première étude sur le sujet soit commandée mais il faudrait attendre peut-être deux ans ou davantage avant qu'elle ne soit terminée. Il existe heureusement, dans le parc national de 6 millions d'acres des Adirondacks, dans l'État de New York, où l'on relève des pluies acides tout aussi intenses, des indications de ce que l'Ontario risque de découvrir. Le parc ne se trouve qu'à une journée de route de plus de 55 millions d'Américains et chaque année jusqu'à récemment, on y enregistrait au moins 1,7 million de voyages de pêche générant dans l'économie locale un montant estimé à 16 millions de dollars. Mais en 1976, après qu'on eut reconnu la mort par acidification de plus de 100 lacs, les chercheurs du parc national évaluèrent à près de 1,5 million de dollars les pertes encourues en accessoires de pêche. Ainsi que devait l'expliquer vers la fin de 1979 à Toronto le commissaire des parcs Anna La Bastille au cours d'un colloque sur les pluies acides, les pêcheurs ne dépensent pas leur argent pour patauger dans des lacs morts. Une étude plus détaillée effectuée en 1978 uniquement sur les lacs morts, dont le nombre était passé à 170, faisait état de pertes annuelles directes de 370 000 $. Le commissaire rapporta qu'en appliquant les données de cette étude à l'ensemble des 3 000 lacs du parc, on pouvait évaluer les pertes « à probablement beaucoup plus de 1,7 million de dollars par année. » Elle devait ajouter que « nous avons transformé un parc en un égoût d'acides national, et maintenant, dans la région, nous en payons le prix. »

Mais les chiffres concernant les Adirondacks ne constituent qu'un avant-goût de ce que l'Ontario pourrait être obligé de payer pour l'acide versé dans ses 48 000 lacs menacés. Les ressources en eaux jadis propres du Nord attirent des millions de visiteurs, qu'il s'agisse de résidents ou de touristes, qui viennent y pêcher, se détendre ou y séjourner dans une maison de campagne. Le tourisme est la deuxième industrie en importance de l'Ontario, directement responsable de 5 milliards de revenus annuels et de 470 000 emplois, soit près de 6 pour cent du produit provincial brut et 11 pour cent des emplois[3]. Les villes du sud en retirent la plus grande part, mais près de 900 millions de dollars sont dépensés uniquement dans la région qui s'étend de la péninsule de Bruce à la frontière de Muskoko-Haliburton ainsi que dans le nord-est dans son ensemble. Une bonne partie de cette région est aussi la plus vulnérable à l'acide. Il s'agit là du cœur de la campagne ontarienne, où se trouvent près de deux tiers de ces 250 000 retraites qui favorisent 50 millions de personnes-jours de détente par année, l'équivalent de 7 millions de personnes qui passeraient chacune une semaine « au chalet ». Les vacanciers injectent directement 200 millions de dollars par année dans la région. Lors d'une campagne de promotion touristique optimiste lancée en 1977, le ministère provincial du tourisme soulignait que l'Ontario « possède d'impressionnantes ressources en eau dont on trouve difficilement l'équivalent ailleurs au monde » en guise d'attractions touristiques, et dressait la liste des 17 régions touristiques les plus importantes de la province. Le triangle Barrie-Parry Sound Huntsville venait au quatrième rang. Quatre-vingt-dix pour cent des visiteurs de cette région de loisirs viennent de l'Ontario même et, avec les visiteurs de l'extérieur, y dépensent 96 millions de dollars par année au cours de leurs vacances. Mais le rapport sur le tourisme négligeait par contre de souligner que cette région se trouve au cœur même de la zone des pluies acides en Ontario et que celles-ci y tombent en concentrations dont on trouve difficilement l'équivalent ailleurs au monde.

Il n'est guère aisé de quantifier ce que peut signifier aux yeux d'un vacancier qui a investi 40 000 $ dans sa maison de campagne, son bateau à moteur pour le ski aquatique, ses chaises longues et son réfrigérateur à bière, un lac sans poissons. Ou si l'absence de poissons, de grenouilles, d'animaux et d'oiseaux qui s'y

3. Voir ONTARIO MINISTRY OF INDUSTRY AND TOURISM, *The Economic Impact of Tourism in Ontario and Regions, 1976*, et *Framework for Opportunity: A Guide for Tourism Development in Ontario/Canada, 1977*, et *Ontario Ministry of Industry and Tourism Review*, 1978-79.

nourrissent signifie quoi que ce soit aux yeux d'un citadin qui roule durant des heures chaque fin de semaine tout simplement pour être en mesure de s'asseoir près des eaux de plus en plus claires. À en croire les affirmations des fonctionnaires du ministère ontarien de l'environnement, les résidents de certains lacs acidifiés situés près de Sudbury apprécient effectivement ces eaux cristallines, bien qu'ils ne puissent rien y apercevoir de vivant. Mais depuis 70 ans, les citadins ont dépensé d'énormes sommes d'argent pour obtenir le privilège de posséder une parcelle de nature auprès d'un lac intact. Le gouvernement de l'Ontario utilise un vert sylvestre pour ses entêtes de lettres, ce qui convient bien à une province qui abrite plus de chalets d'été dans la nature que partout ailleurs en Amérique du Nord. Les activités « touristiques » les plus populaires auprès des résidents ontariens sont la maison de campagne, les randonnées en bateau, la pêche et le camping. Le premier ministre ontarien peut sans doute aller aux quatre coins du monde vanter la capacité industrielle de l'Ontario, mais lui aussi se retire dans une île de la baie Georgienne, où les populations de poissons déclinent, attaquées par les acides.

La valeur réelle de cette nature sauvage du Nord, avec toute sa commercialisation, son sur-développement et ses prix exorbitants, dépasse les statistiques limitées aux dollars. Prêtons l'oreille à Gord Mewhiney, porte-parole de la fédération des associations ontariennes de propriétaires de maisons de campagne, lors de son intervention devant la commission parlementaire en 1979 : « Que se passe-t-il en face de nos chalets ? On nous a d'abord parlé d'eau polluée, puis on nous a dit de ne pas manger de poisson à cause du mercure, et maintenant on nous dit que nos lacs n'ont tout simplement pas le moindre avenir. Notre Nord, notre style de vie, sont compromis ! Fermez les robinets des pluies acides maintenant, avant qu'il ne soit trop tard. » Mais Mewhiney parlait aussi des lacs en des termes qui ne pouvaient manquer d'émouvoir même le politicien urbain le plus indifférent : « Nous sommes 300 000 propriétaires de chalets, un million de votants ; nos valeurs foncières et notre éventuelle retraite sont en cause. Notre impact économique est considérable : si nous sommes obligés d'abandonner et d'aller nous détendre dans le Sud, l'économie de la zone de villégiature s'effondrera en moins de trois décennies. »

Le trésorier de l'Ontario peut toujours inciter à coups de millions de dollars les fabricants d'automobiles à construire des usines dans le sud, mais il est aussi le premier à devoir faire face à des délégations de propriétaires inquiets d'endroits de villégiature de Muskoka. C'est là qu'il a commencé sa carrière, en exploitant un tel endroit qu'il exploite toujours. Muskoka est sa circonscription électorale. Il connaît la valeur de l'industrie. Et ses collègues des ministères de l'Industrie et du Tourisme la connaissent aussi : depuis 1966, ils ont prêté plus de 56 millions de dollars pour la mettre sur pied. En 1979, les prêts au tourisme, surtout consacrés au rajeunissement des lieux de villégiature, comptaient pour 20 pour cent des prêts annuels au développement des entreprises. Les ministères de l'Industrie et du Tourisme se félicitent de ce que leurs bonnes œuvres sont « synonyme de croissance économique » en Ontario et prévoient qu'en l'an 2000 « le tourisme sera la principale source de revenus, d'emplois et de profits venus de l'extérieur du Canada. » Avec les politiques actuelles, les pluies acides continueront de tomber sans répit jusqu'en l'an 2001.

Il est arrivé au ministre ontarien de l'Environnement, Harry Parrott, de lancer sans explication un montant estimé à 500 millions de dollars, résultant des dommages possibles des pluies acides, en s'adressant à la commission parlementaire. Mais les conséquences économiques des pluies acides sur le tourisme pourraient, un peu à la façon de leurs conséquences physiques, commencer à se faire sentir sans qu'on y prenne garde et en étant attribuées à quelque autre cause. Les exploitants touristiques de l'Ontario ont protesté contre les reportages sur les pluies acides parus dans les journaux à la fin du printemps 1978, qui constituaient la plus mauvaise publicité possible au commencement de la saison touristique. Qui pourrait les en blâmer ? Et pourtant, les saisons futures pourraient n'avoir jamais lieu si la conspiration du silence se poursuit. Le Dr David Schindler, de l'Institut des eaux douces, craignait le pire lorsqu'il comparut devant la commission au début de 1979 : « On parle beaucoup des pertes d'emploi si les principaux pollueurs sont forcés de contenir leurs émissions. Mais j'espère que quelqu'un pense aux milliers d'exploitants touristiques qui devront fermer leurs portes dans 10 ou 15 ans si les émissions ne sont pas contrôlées. » Jusqu'en 1980, personne n'avait beaucoup réfléchi à cette possibilité au gouvernement ontarien, du moins pas sous la forme identifiable d'études, de prévisions ou d'avertissements publics. Et pourtant le même gouvernement reconnaît que sans une interruption rapide des pluies acides, la mort des lacs qui supportent cette industrie représente davantage qu'une possibilité. Elle est virtuellement inévitable.

Les ressources aquatiques sur lesquelles s'appuie l'Ontario pour ses pêcheries et son tourisme ne sont pas seules en cause. Le Québec, les Adirondacks, les États du Minnesota et du Michigan, tirent tous des revenus substantiels de leurs lacs et de leurs rivières. Et en Nouvelle-Écosse, où les pluies acides tombent aussi, une bonne partie des fameuses prises de saumon de l'Atlantique a déjà disparu. Walton Watt, un biologiste des pêcheries fédérales, a expliqué la situation au cours d'une entrevue vers la fin de 1979. Avec leurs niveaux moyens inférieurs à un pH de 4.8 en 1978, les eaux de sept importantes rivières qui coulent en direction du sud-est à travers la Nouvelle-Écosse vers l'océan se sont transformées en pièges meurtriers pour les saumons. Il y a vingt ans, des rivières comme la Mersey, la Roseway et la Sissiboo permettaient des prises record de ces grands poissons. « Elles sont maintenant mortes. Il n'y a plus de saumons. Ils sont éliminés. » Il estima que de 6 000 à 7 000 saumons avaient disparu et que 20 000 autres s'apprêtaient à disparaître dans les autres rivières.

Ainsi que le soulignait Watt, un pêcheur sportif dépense en gros 150 $ pour son équipement, son transport et son hébergement lorsqu'il pêche dans les rivières du sud-est. Fameuse, la région attirait des pêcheurs venus de loin. Mais de nos jours, avec plus de 6 000 poissons en moins, Watt évalue à un minimum de 600 000 $ annuellement le manque à gagner de la région. Il reconnut que son évaluation était sommaire, mais elle revêtait une signification particulière à ses yeux : « Je sais que l'industrie de la pêche sportive a décliné d'une façon dramatique, dit-il. Ma famille y était impliquée. » La pêche sportive ne profite plus de nos jours au sud-est de la Nouvelle-Écosse dont les rivières ne recèlent plus que d'abondantes quantités d'anguilles.

Plus au sud, dans l'État du Maine, on s'inquiète de plus en plus de ce qu'une tentative de ramener les saumons dans les rivières au coût de 60 millions de dollars puisse être compromise à cause des acides. Les autorités du fédéral et de l'État ont commencé en 1966 à faire disparaître les barrages inutiles et à mettre un terme à la pollution industrielle des rivières Connecticut et White dans l'espoir d'y implanter de nouveau une population de saumons qui en sont disparus il y a près de 100 ans et dont on prend pour acquis, là comme partout ailleurs aux États-Unis, qu'ils le sont pour de bon. En 1978, on y implanta les quelques premiers poissons, mais presque tous moururent avant d'avoir pu frayer. En 1979, seuls 60 adultes remontèrent jusqu'aux sources des rivières et 36 survécurent assez longtemps pour pondre leurs œufs. Mais ainsi que les biologistes des pêcheries l'ont affirmé au début de 1980, il est peu probable que le niveau d'acidité de la rivière White, avec son pH de 4.8, permette aux œufs d'être suffisamment fertilisés ou d'éclore. En fait, la rivière n'avait été réparée et nettoyée que pour être à nouveau empoisonnée. « Nous sommes inquiets, affirma un biologiste apparemment surpris. Nos eaux semblent susceptibles aux pluies acides. Les chercheurs des services américains des poissons et de la faune ont entrepris de mesurer l'acidité des eaux tout le long de la rivière dans l'espoir de découvrir « à quel niveau l'acidité met en danger les poissons. » « Si les niveaux d'acidité continuent à grimper, ils compromettront le programme de repeuplement du saumon », se lamentait pour sa part Andrew Stout, un chercheur du Maine, au cours d'une réunion de la National Wildlife Federation en mars 1980 à l'université Butler, avant d'ajouter que les pertes étaient « très substantielles ».

En Suède, à près de 5 000 milles vers le nord-est, de l'autre côté de l'Atlantique, on connaît par certaines particularités les implications d'eaux lessivées par les acides. Ce genre d'informations a placé la Suède au premier rang dans le monde pour la recherche sur les pluies acides et rendu leurs réalités économiques compréhensibles à chaque Suédois, ce qui a favorisé les décisions politiques d'où découlent dans ce pays les réductions d'émissions polluantes. Dans une étude effectuée en 1978[4], par exemple, on évalue à 16.5 millions de dollars par année les pertes encourues par les pêcheries commerciales de l'intérieur de la Suède à cause

4. SWEDISH ROYAL MINISTRY OF AGRICULTURE, *Draft Estimation of Financial Damage to Aquatic Systems*, Room Document n° 16, 16 octobre 1978.

des eaux acidifiées. La pêche de loisir et le tourisme voient leurs pertes annuelles s'élever à 50 millions. Le rapport ne faisait pas état de la pêche côtière d'espèces qui se reproduisent en eau douce, comme c'est le cas du saumon de l'Atlantique, sinon en soulignant que 85 pour cent de leur migration vers la mer serait affectée. L'hypothèse de base du rapport voulait que la productivité des poissons « devienne en principe tôt ou tard nulle si les dépôts d'acides se poursuivent au même rythme. » Dans les régions les plus fortement acidifiées, concluait calmement le rapport, « la disparition des revenus générés par la pêche et le tourisme risque de compromettre la capacité des gens d'y vivre et d'y gagner leur vie. »

En 1971, les Suédois ont aussi évalué en termes de dollars les dommages causés aux forêts, à la propriété et à la santé des humains. Ainsi que le reconnurent d'emblée les auteurs du sommaire du « livre rouge », on ne possédait pas alors de preuve absolue, mais le gouvernement suédois se sentait tout de même justifié, en se basant sur les recherches d'une décennie, de tirer quelques conclusions boulversantes. Selon le livre rouge, « un taux de réduction annuel 0,3 pour cent [de la croissance] des forêts correspondrait probablement à la réalité. » Compte tenu de la malheureuse vraisemblance de la continuation au même taux qu'en 1965 des émissions responsables des pluies acides en provenance d'Europe, une situation dont les Suédois reconnaissent qu'ils « la croient la plus réaliste », la croissance des forêts aura subi un déclin de 13 pour cent en l'an 2000. Le rapport ajoute qu'« une évaluation directe en termes pécuniaires [d'une telle situation] ne rend pas exactement compte de la nature des dommages » mais que « les données les plus révélatrices sont probablement qu'en l'an 2000, 7 pour cent des matières de base de l'industrie des forêts et de la pulpe auront disparu », ce qui équivaudrait alors à une perte annuelle de 40 millions de dollars.

L'enquête effectuée dans la forêt de Hubbard Brook, dans l'état du New Hampshire, a permis de découvrir qu'après 1961 la productivité en bois des arbres avait décliné de 20 pour cent. La première évaluation canado-américaine des pluies acides soulignait en octobre 1979 que la dégradation des forêts pourrait devenir irréversible longtemps avant qu'un déclin de 20 pour cent de leur productivité en bois soit démontré de façon concluante. Et il existe d'autres études. Voyons quels sont les enjeux au Canada.

Les arbres recouvrent 35 pour cent du territoire. Directement ou indirectement, ils sont responsables d'un emploi sur dix au pays, de 18.5 milliards de dollars de marchandises et de 9 milliards en valeur ajoutée en 1978, soit une contribution annuelle nette de 10.6 milliards à la balance des paiements canadienne pour l'année 1979. Le Canada vient au premier rang dans le monde pour la production et l'exportation du papier journal avec la moitié du total ; au deuxième rang pour la production de pulpe (la Suède vient au quatrième rang) ; et il coupe chaque année près de 5 milliards de pieds cubes de bois. Mais ceci ne rend pas compte de toutes les données du problème. Après un siècle de coupes sauvages, l'industrie forestière canadienne manque d'arbres. Un abattage massif et sans discernement, un reboisement symbolique et un intérêt négligeable pour les méthodes modernes de coupe et de sylviculture ont entraîné les bûcherons, les moulins et l'équipement vers des régions de plus en plus éloignées dans leur quête de grandes forêts. Les lieux de coupe ont été trop souvent condamnés à un reboisement terriblement lent de 60 à 80 ans. Près de 12 pour cent du territoire forestier de premier ordre ne sont pas adéquatement pourvus de nos jours d'arbres prêts pour la coupe et chaque année 500 000 acres supplémentaires viennent s'ajouter à cet arriéré.

Ce déficit est le plus flagrant dans l'est du Canada, en Ontario, au Québec et dans les provinces atlantiques, dont la production forestière représente près de la moitié de celle du Canada tout entier. L'industrie et, plus récemment les gouvernements fédéral et provinciaux, affirment qu'il sera possible d'augmenter de 40 pour cent en moins de 25 ans les coupes effectuées dans cette moitié déjà dégarnie du pays grâce à des techniques améliorées.

Mais à en juger par les déclarations publiques, personne ne semble s'être le moindrement attardé au danger qu'à cause des pluies acides les forêts ne croissent pas. Ainsi que le soulignait en 1979 l'évaluation conjointe canado-américaine des pluies acides, « une bonne partie des forêts les plus productrices du nord-est canadien se trouve dans la zone la plus affectée par le transport à longue distance et le dépôt des acides. » La tendance à couper davantage d'arbres laisse le sol à nu et l'expose aux pluies et aux neiges acides ainsi qu'à un lent empoisonnement irréversible. Comme le soulignait le rapport canado-américain, une fraction seulement d'une pollution par les acides de l'ordre de celle qui est typique aux alentours de sources bien connues de soufre comme la fonderie de l'Inco à Sudbury, pourrait avoir « les conséquences les plus désastreuses pour le bien-être d'une industrie des ressources vitales. »

Si les Suédois ont raison, ou même s'ils ne prévoient que raisonnablement l'avenir, de telles conditions *auront* les conséquences les plus désastreuses pour le bien-être d'une industrie des ressources vitales, ainsi que pour l'économie canadienne dans son ensemble.

Une étude qui est passée presque inaperçue, publiée par le Conseil National de recherches du Canada en août 1977, évaluait les pertes annuelles causées aux forêts par les pluies acides à « entre 1.2 et 2.8 millions de dollars. » Les gouvernements provinciaux ont vigoureusement pris à partie cette étude en lui reprochant de ne reposer sur aucune preuve et d'être vraisemblablement erronée. Et pourtant, jusqu'en 1980, les recherches canadiennes ultérieures sur la question devraient être quantité négligeable. Le Service canadien des forêts, à qui le ministre fédéral John Robarts promettait en mars 1980 «un rôle de premier plan dans la détermination des effets des pluies acides sur les forêts», fonctionne avec un budget de 50 pour cent inférieur à ce qu'il était en 1973. Et Robarts, au cours d'un important exposé politique devant l'industrie forestière canadienne en mars 1980[5], ne permettait guère d'espérer une augmentation substantielle des fonds alloués. Il promit toutefois à l'industrie forestière que le Service canadien des forêts contribuerait à découvrir de meilleures méthodes de coupe. Le Service canadien des forêts n'a toujours pas découvert s'il y aura, dans le cas où les pluies acides se poursuivraient sans discontinuer, suffisamment d'arbres à abattre. (Incidemment, Robarts est aussi le nouveau ministre fédéral de l'environnement.) Les enjeux sont effectivement importants, sans compter la crédibilité du ministre fédéral qui déclare s'inquiéter des pluies acides tout en ne tenant aucun compte de leurs implications pour la foresterie et l'économie du Canada.

---

5. ROBERTS, hon. ˙John, Discours devant la Canadian Pulp and Paper Association le 25 mars 1980 à Québec.

Les enjeux ne se limitent pas aux forêts. La valeur des récoltes s'élève annuellement à 8.9 milliards de dollars au Canada. Tout semble indiquer que les pluies acides peuvent affecter et affectent effectivement ce qui croît dans le sol. Les expériences approfondies menées par l'Agence américaine de protection de l'environnement à Corvallis, celles d'OakRidge et de Hawaï, ainsi que les cultures expérimentales de tabac du nord de Toronto, démontrent que des récoltes de produits tels que les radis, les haricots et le tabac sont endommagées. À la fin de 1980, les expériences de Corvallis indiqueront peut-être exactement combien peu de pluie acide suffit à flétrir, à corroder ou à tuer une récolte. Des années de recherche seront peut-être nécessaires avant de connaître la réponse précise en comparant les dommages à la dégradation du sous-sol. Pour l'instant, il est uniquement possible de conclure qu'un nombre inestimable de millions de dollars de récoltes court un risque. Il n'existe pourtant encore aucune mesure politique canadienne ou américaine dont le but serait d'éviter ce risque. Il fallut attendre octobre 1979 pour que l'un des deux pays reconnaisse formellement que « selon toute apparence, les pluies acides endommagent les récoltes. »

Le calcul des dommages économiques causés par les pluies acides n'a pas à s'appuyer uniquement sur de trop peu nombreuses études et des « prévisions raisonnables. » Une facette de ces dommages apparaît clairement de nos jours, tout en étant excessivement dispendieuse : il s'agit de dommages causés à la propriété. Bien avant que les Suédois en arrivent à la conclusion que le dioxyde de soufre et les polluants de cette espèce coûtaient chaque année 20 millions de dollars en corrodant le métal, la pierre et le bois, des ingénieurs et des scientifiques du monde entier avaient dressé le bilan des dommages causés par la pollution de l'air [6]. Pour ne citer que cet exemple, l'obélisque de Cléopâtre, transportée d'Égypte à Londres, s'est détériorée davantage dans l'atmosphère humide, sale et acide de Londres en 80 ans qu'au cours des 3 000 ans précédents. Le ciment, le béton, les métaux, les peintures, même les tissus, en sont les victimes : les drapeaux se défraîchissent plus rapidement et

---

6. Voir Nriagu, J.O., *op. cit.*, vol. II, pour plus de 200 cas de dommages à la propriété.

tombent en loques plus tôt dans des villes telles que Los Angeles ou Chicago que dans des villes dont l'air est plus propre. En 1978, les conseillers du Président des États-Unis en matière de qualité de l'environnement évaluaient à 2 milliards de dollars par année les dommages causés à la propriété par les pluies acides. En 1977, le Conseil national de recherches du Canada estimait à 285 millions de dollars par année la détérioration des bâtiments causée par les émissions de soufre dans l'air, dont 70 millions pour la seule peinture extérieure. On ne distingue pas bien pour le moment les dommages causés directement par un air chargé de dioxyde de soufre émis sur les lieux de ceux qui le sont par l'acide sulfurique transporté par les vents depuis des sources lointaines, mais l'ensemble des dommages causés par les émissions de soufre sous l'une ou l'autre forme saute aux yeux. Ainsi que le rapportait la commission internationale conjointe en 1979, les pluies acides sont peut-être responsables de 50 pour cent de la corrosion des automobiles.

Sur la côte ouest, dans la ville traditionnellement polluée de Los Angeles, les chercheurs de l'Agence de protection de l'environnement ont évalué en termes de dollars les rapports entre la visibilité et la pollution en 1979. Durant leur enquête de 600 000 $, ils ont découvert que les éventuels acheteurs de maisons étaient prêts à payer davantage pour celles où la vue était plus claire. D'après les citoyens interrogés, une vue améliorée en ligne droite à travers Los Angeles valait 330 $ de plus par maison. La même enquête a aussi permis de découvrir que dans six paires de quartiers identiques sauf pour la qualité de l'air, les maisons situées dans les quartiers où l'air était propre avaient une valeur notablement plus élevée sur le marché. Les chercheurs en conclurent qu'une amélioration de 30 pour cent de la qualité de l'air augmenterait de 500 $ la valeur sur le marché de chaque propriété, c'est-à-dire de 950 millions de dollars par année pour l'ensemble de Los Angeles. Il s'agissait là d'une nouvelle tentative de fixer le prix de l'air, et Los Angeles est bien connue pour ses polluants autres que le dioxyde de soufre. Mais dans combien de temps la brumasse d'acide sulfurique et nitrique atteindra-t-elle des niveaux aussi clairement visibles en termes économiques sur la côte est ?

Il reste enfin le coût de la santé. Hamilton évaluait à au moins 5 000 par année le nombre de Canadiens susceptibles de mourir à cause des sulfates associés aux pluies acides ; Mendelsohn et Orcutt établissaient ce nombre à 187 000 décès par année aux États-Unis. Sur une base individuelle, la valeur en dollars d'une vie en Amérique du Nord est incalculable ; sur une base nationale, les économistes et les professionnels de la santé évaluent à 80 000 $ le seul manque à gagner causé par une mort prématurée[7]. Les professionnels reconnaissent d'emblée que de tels calculs ne tiennent pas compte de facteurs tel que les épouses sans revenus, les coûts médicaux, et le manque à gagner qui n'est pas directement provoqué par des maladies mortelles. Mais l'Agence américaine de protection de l'environnement, en calculant les pertes en temps et en productivité, de même que les coûts d'hôpital et de compensation, estime que la pollution de l'air coûte aux États-Unis plus de 10 milliards par année. Les conseillers du Président des États-Unis en matière de qualité de l'environnement évaluent à 1.7 milliard de dollars par année le seul coût de la santé en rapport avec le dioxyde de soufre. Les coûts seront presque inévitablement plus élevés lorsque les chercheurs les auront évalués avec exactitude.

Pour l'instant, on a discuté en termes économiques presque uniquement du coût de l'arrêt des pluies acides. Les gouvernements et l'industrie ont été en mesure d'établir avec une rapidité surprenante que des dépenses affolantes de l'ordre de plusieurs milliards de dollars seraient nécessaires si l'on voulait endiguer les pluies acides en Amérique du Nord. Une prévision récente, datant de 1979, fait état d'un montant de près de 5 milliards répartis sur une décennie au Canada. Il est aisé de croire que de telles sommes sont gonflées puisqu'elles s'appuient sur la technologie traditionnelle et les analyses des compagnies mais, plus important encore, elles constituent un leurre grossier. Elles sont si élevées, tout en laissant paraître le spectre de l'inflation galopante, de la banqueroute des compagnies, des pertes d'emploi et de l'escalade des prix à la consommation, parce qu'elles sont tirées de leur contexte. On n'y tient pas compte des dommages économiques causés par les pluies acides. Le calcul des dommages

---

7. Voir Ruby, M.G., *An application of Cost-Benefit Analysis: The Arasco-Tacoma Copper Smelter*. Une intervention lors de l'assemblée annuelle de la Pacific Northwest-International Section of the Air Pollution Control Association, Portland, Oregon, Novembre 1978.

causés par les pluies acides relève de toute évidence de données beaucoup plus complexes que les estimations des pertes, et tant les gouvernements que ceux qui prennent les décisions ont pour l'instant choisi d'ignorer le problème à défaut de connaître ses véritables dimensions. Certains indices tendent déjà à démontrer, en plus des travaux d'individus comme Jerry Liddle, que le coût des pluies acides est si énorme qu'il pourrait compromettre la stabilité financière d'économies tant régionales que nationales. Et, bien qu'il n'existe toujours pas de rapport détaillé des dommages, il y a fort à gagner en reconnaissant l'énormité de l'enjeu. Personne ne sait exactement ce que les pluies acides coûtent déjà à l'Amérique du Nord ou ce qu'elles coûteront si le problème s'aggrave comme on peut le supposer. Ces coûts sont déjà énormes. Les coûts éventuels dépassent toutefois de beaucoup les simples facteurs économiques. Dans son intervention devant la commission parlementaire ontarienne, le biologiste Tom Hutchison, de l'Université de Toronto, affirmait que :

> La détérioration de l'environnement de nos lacs, des pêcheries et des facteurs de plaisance qui leur sont associés, aura un impact considérable sur beaucoup de monde... Il est certain qu'au Canada, l'homme de la rue respecte énormément l'environnement. Si nous permettons aux solutions à court terme que nous apportons à nos problèmes de dévaster cet environnement, comme nous sommes en voie de le faire en ce moment avec les pluies acides, nous devrons dans 15 ou 20 ans répondre à beaucoup de questions posées par beaucoup de monde.

Malheureusement pour Hutchison et pour l'environnement, une période de 15 ans se situe au-delà de la vision normale et de la durabilité de ceux qui prennent les décisions.

# 6

# Lois faibles et
# gros sous

Lorsque la commission parlementaire ontarienne qui enquêtait sur les pluies acides mit un terme à ses audiences en février 1979, elle avait accumulé près de 1 000 pages de transcriptions et de documents annexes. Cette enquête constituait l'évaluation publique la plus appronfondie des pluies acides à l'époque et fit beaucoup pour sensibiliser le Canada à ce danger. La commission en vint pourtant à une conclusion étonnamment brève. Aux pluies acides, il n'existait que deux solutions : les endiguer ou tenter de vivre avec elles en réparant les dégâts. La commission décida avec raison que les réparations n'étaient «possibles ni économiquement ni physiquement.» On y évaluait à 150 $ par acre le coût du chaulage répété des lacs acidifiés, un montant beaucoup trop élevé dans une province où les eaux vulnérables à l'acide s'étendent sur des centaines de milliers d'acres. Il s'agissait là de la seule évaluation en termes de réparations qu'on ait fournie à la commission. Les pertes encourues par l'industrie du tourisme, la productivité des arbres ou une agriculture surchimifiée y étaient passées sous silence. Mais il était quand même évident que le seul espoir résidait dans la prévention et la réduction de la pollution.

Les députés du parti Conservateur au pouvoir qui siégeaient à la commission reconnurent avec réticence la nécessité d'une réduction des émissions tandis que les députés de l'Opposition la réclamèrent à grands cris. Tous furent étonnés d'apprendre de la bouche des fonctionnaires du ministère fédéral — et non pas provincial — de l'Environnement que « la technologie capable d'assurer une énorme réduction de dioxyde de soufre existe déjà. » Ils le furent beaucoup moins lorsqu'on leur dit que l'implantation d'une telle technologie coûterait cher : les responsables de l'Inco évaluèrent ces coûts à plus de 500 millions de dollars tendant vers le milliard, tout en laissant entendre que de tels coûts étaient tout simplement inacceptables. Selon l'Inco, en fait, ce qui est économiquement irréalisable est techniquement impossible. Il apparut clairement au cours des interventions devant la commission, ce qui relevait d'ailleurs de l'évidence, qu'il n'existe en Ontario aucune législation capable de forcer les principales sources d'émissions à se prévaloir des technologies réductrices quel qu'en soit le coût. Il en va de même aux États-Unis.

Le problème des pluies acides vient de ce qu'il outrepasse les lois ; il s'agit de pollution à l'échelle régionale, nationale ou internationale alors que les lois sont presque exclusivement locales [1]. Les lois locales ne tiennent pas compte de ce qui s'échappe d'une cheminée et retombe 500 milles plus loin ; ce qui tombe du ciel sur une région située à 500 milles relève presque d'une cause naturelle. Pire encore, il n'existe aucune législation dans l'un ou l'autre pays sur les pluies acides elles-mêmes. Les seules restrictions portent sur le dioxyde de soufre ; et de petites quantités de dioxyde de soufre émises par plusieurs sources locales signifient des pluies acides sur d'énormes régions. Les limitations les plus récentes qui aient été imposées au dioxyde de soufre l'ont été en 1976 au Canada et en 1978 aux États-Unis, avant que les technocrates reconnaissent l'existence des pluies acides. On la reconnaît pleinement de nos jours, mais la réglementation fait toujours défaut.

Au Canada, le gouvernement fédéral doit en principe fixer les règles du jeu tout en demeurant en coulisse. Ottawa suggère

---

1. WETSTONE, Gregory S., *Air Pollution Control Laws in North America and the Problem of Acid Rain and Snow ; Environmental Law Reporter*, Washington, D.C., février 1980, n° 10 : 50001–50020.

de limiter les émissions de dioxyde de soufre mais il revient aux gouvernements provinciaux d'imposer ces limitations. Dans le but de protéger la santé de la population, les fédéraux ont déclaré que le niveau de dioxyde de soufre dans les airs ne devait pas dépasser .02 parties pour un million en moyenne par année. Mais bien qu'en vertu de la Constitution Ottawa ait le pouvoir d'imposer ce niveau, il lui manque visiblement la responsabilité légale de le faire. La loi fédérale ne réglemente pas la quantité de dioxyde de soufre qu'une source peut émettre, mais uniquement le fait que l'air régulier ou « ambiant » ne doit pas être pollué au-delà de ce niveau de .02. Les provinces doivent décider de la façon de contrôler les sources. Elles adoptent les lois qui comptent.

L'Ontario observe scrupuleusement le maximum fédéral de .02 parties pour un million de dioxyde de soufre dans les airs et lui donne force de loi lorsque le ministre de l'Environnement le décide. Cette réglementation vise à prévenir tout dommage direct à la santé par le dioxyde de soufre. Mais lorsqu'il s'agit des pluies acides, le concept d'une réglementation de l'air ambiant devient embarrassant. Il revient à vouloir qu'un dépotoir ne contienne pas plus de deux tonnes de soufre sans tenir compte de la quantité d'acide sulfurique qu'on peut y décharger. Lorsqu'il s'agit de réglementer les déchargeurs, l'Ontario négocie séparément avec chacun. Il n'existe pas de loi uniforme concernant les émissions. Dans la mesure où on ne peut prouver qu'une source contrevient directement au maximum permis dans l'air ambiant, elle a tout loisir de polluer à son gré. La seule réglementation qui ait trait plus spécifiquement au dioxyde de soufre dans la loi ontarienne de protection de l'environnement stipule seulement que là où les émissions sont mesurées — et non pas à la source — celles-ci ne doivent pas être supérieures de plus de 14 fois au niveau de pollution « sécuritaire » normal pour une durée de 30 minutes. Cette réglementation comporte 29 pages d'explications sur la façon de calculer le lien qui existe entre la source et le « point d'empiètement »; il s'agit là d'une loi complexe, propre à décourager la plupart des gens de se donner la peine de mesurer les émissions de dioxyde de soufre, sans compter qu'elle ne s'applique pas aux pluies acides.

On a longtemps affirmé, dans le monde du contrôle de la pollution, que « la solution à la pollution résidait dans la dilution. » Cette solution, de même que la réglementation ontarienne, a permis à la Inco de prendre ses responsabilités à l'échelle locale en ajoutant 3 600 tonnes de dioxyde de soufre par jour au dépotoir atmosphérique qui s'étend maintenant sur des centaines de milliers de milles carrés. Techniquement, l'air n'est pas surchargé de dioxyde de soufre, mais il déborde littéralement de pluies acides. La solution par dilution, qui consiste à construire de hautes cheminées capables de souffler ailleurs le dioxyde de soufre, demeure depuis des années la pierre angulaire des lois ontariennes sur la pollution.

Ni le gouvernement fédéral ni le gouvernement provincial n'établissent de distinction entre les émissions des sources déjà existantes et celles des nouvelles sources. Une nouvelle usine peut être tout aussi malpropre qu'une ancienne. Une centrale énergétique alimentée au charbon, Atikokan, construite en ce moment au coût de 800 millions de dollars par Hydro-Ontario, ne subira pas de contrôles plus sévères de la pollution que les cinq autres centrales alimentées au charbon de la province. Celles-ci émettent 450 000 tonnes de dioxyde de soufre chaque année par leurs hautes cheminées. La loi ontarienne, basée sur la vieille supposition selon laquelle l'air constitue un dépotoir acceptable, ne prévoyant aucune distinction dans le cas de nouvelles sources, l'Hydro a pu aller de l'avant sans défrayer les 75 millions de dollars supplémentaires requis pour une technologie éprouvée qui aurait réduit d'au moins 50 pour cent les émissions d'Atikokan. On y a cependant prévu une cheminée de 650 pieds qui rejettera 100 pour cent des émissions au loin où elles se fondront à la masse des pluies acides du continent.

Aux États-Unis, les lois sur la pollution sont plus spécifiques mais au bout du compte les résultats sont les mêmes. Contrairement à ce qui se passe au Canada, le gouvernement fédéral américain adopte les lois importantes et impose aux États de les faire respecter. Un maximum de .03 parties pour un million dans l'air ambiant, semblable à celui du Canada, y est imposé à l'échelle nationale dans le but de protéger la santé. Contrairement au Canada, les États-Unis ont aussi établi un niveau de protection de l'environnement qui ne doit pas dépasser .5 parties pour un million en moyenne durant trois heures, mais ne l'imposent pas. Il est facile de s'en tenir à ces niveaux dans l'air ambiant en rejetant par de hautes cheminées les émissions locales au-delà de la localité, de la région, voire de l'État. Et les niveaux de dioxyde de soufre à l'échelle nationale ne comprennent ni les sulfates ni les acides qui retombent ailleurs dans les pluies acides, bien que l'Agence américaine de protection de l'environnement ait commencé à songer en 1980 à la nécessité d'imposer des niveaux aux sulfates.

En 1971, alors qu'on s'inquiétait d'un bout à l'autre du pays de l'augmentation visible de la pollution, des amendements furent apportés à la loi américaine sur la propreté de l'air. Le gouvernement fédéral commença à faire pression sur les États pour que ceux-ci agissent contre les sources et surtout contre les centrales énergétiques. Les États qui refusaient de soumettre leurs intentions à propos des réductions se voyaient pénalisés par des coupures de fonds gouvernementaux, y compris, ironiquement, les subventions consacrées au contrôle de la pollution des eaux. Les États devaient trouver eux-mêmes les moyens à prendre pour réduire les émissions. Ils en confièrent la responsabilité à ceux qui les causaient. Ceux-ci pouvaient faire brûler du charbon à faible teneur en soufre, ou « lessiver » le charbon, c'est-à-dire en extraire le soufre avant de le brûler, ou encore installer un équipement qui « épurerait » la fumée de son contenu en soufre avant qu'elle ne quitte la cheminée. Plusieurs États se contentèrent d'approuver la première solution soumise par les industries polluantes, en même temps que la plus facile : agrandir les hautes cheminées de façon à ce que le problème flotte jusqu'au-delà des appareils locaux de détection de la pollution.

Loin des yeux, loin du cœur : mais à court terme, cette solution s'imposa. Faisant campagne à la façon de l'Inco lorsque celle-ci voulut vendre sous pression sa cheminée géante en 1972, l'American Electric Power Company acheta de l'espace publicitaire dans les journaux en 1973 en se vantant d'être une « pionnière » de l'utilisation de hautes cheminées capables « de disperser les émissions gazeuses loin dans l'atmosphère de façon à ce que les concentrations au niveau du sol ne soient dommageables ni pour la santé humaine ni pour la propriété. » La compagnie affirmait que les gaz émis par les hautes cheminées « se dissipent dans la haute atmosphère, se dispersent au-dessus de vastes régions, et redescendent enfin sous forme de traces inoffensives. » La compagnie poursuivait en tombant à bras raccourcis sur les « écologistes irresponsables » qui demandaient des contrôles rigoureux à la source même de la pollution, en les accusant de se rendre coupables « d'enlever leur pain aux gens contre une meilleure vue de la montagne [2]. » En 1976, plus de 200 cheminées s'élevaient à plus de 400 pieds. En 1977, l'Agence américaine de protection de l'environnement dut imposer une limite à la hauteur des cheminées, mais les dégâts étaient déjà faits. En janvier 1979, l'Agence américaine de protection de l'environnement rapporta que près de 100 millions d'Américains vivaient dans des régions où le niveau des polluants dans l'air ambiant, et il ne s'agissait pas seulement de dioxyde de soufre, n'était pas respecté. La majorité de ces personnes vivaient à l'est du Mississippi, vers la côte où les émissions soufflées par les vents depuis les États du charbon s'accumulent.

En 1971, pourtant, l'Agence américaine de protection de l'environnement avait déclenché une nouvelle offensive majeure contre la pollution de l'air. Soutenue par le Congrès, elle avait déclaré que les nouveaux pollueurs devaient faire mieux que les anciens. En se servant d'une stratégie sophistiquée, basée sur la croyance bien ancrée chez les Américains selon laquelle tout se dégénère et se remplace par une amélioration, l'Agence ordonna à toutes les nouvelles centrales énergétiques alimentées au charbon de produire de plus faibles émissions de dioxyde de soufre, équivalant à l'utilisation des technologies de pointe, de l'ordre de pas plus d'1.2 livre de soufre par million d'unités d'énergie calorifique produite. Cette limite reposait sur la capacité des épurateurs, ces systèmes de nettoyage des cheminées qui, à l'époque, pouvaient réduire de 70 pour cent les émissions en dioxyde de soufre du charbon et de l'huile contenant 3 pour cent de soufre.

En 1977, comme l'y obligeait la loi en la forçant à réviser aux 5 ans la réglementation sur la propreté de l'air, l'Agence commença à élaborer des restrictions plus contraignantes encore à l'intention des nouvelles centrales projetées. Une bataille fit rage durant 18 mois dans les milieux politiques et d'affaires, les centrales alimentées au charbon affirmant que la technologie ne pouvait toujours pas répondre aux exigences de la loi de 1971, et

---

2. Cité par Gus Speth, président du President's Council on Environment Quality, lors du séminaire sur les pluies acides le 2 novembre 1979 à Toronto.

encore moins à une version plus sévère. Jusqu'en 1977, certaines émissions étaient d'un bas niveau tout simplement parce qu'on faisait brûler du charbon plus propre. Mais moins de 20 pour cent du charbon est « propre », c'est-à-dire d'une teneur en soufre de moins de 2 pour cent, dans l'est des États-Unis et l'industrie, installée dans l'est, trouvait inacceptable sur le plan économique d'utiliser le charbon de l'ouest, abondant et d'une faible teneur en soufre. Une seconde solution, le « lessivage » du charbon, consistait à broyer le charbon et à en extraire chimiquement le soufre qu'il renferme en même temps que d'autres matériaux, mais l'industrie du charbon affirma que moins de 14 pour cent des réserves de charbon pouvaient être lessivées. Le débat se reporta inévitablement vers la technologie de contrôle des émissions que l'Agence jugeait idéale et qui était disponible : les épurateurs de dioxyde de soufre.

Le principe de l'épuration est au fond aussi ancien et aussi simple que la chimie au cégep. Les émanations chargées de soufre de même que les autres gaz émis par la combustion du charbon, de l'huile ou d'autres matériaux sont injectés sous pression dans un bain d'eau et d'agents chimiques. Ceux-ci attirent le soufre auquel ils se combinent pour former une boue humide tandis que les gaz, épurés de leur soufre, s'échappent par la cheminée. Une demi-douzaine d'agents chimiques, dont le sodium, le magnésium, la chaux et le calcaire, ceux-là mêmes qu'on utilise pour neutraliser les lacs acidifiés, peuvent servir à « épurer » le soufre. Le calcaire bénéficie d'un curieux avantage : la boue de calcaire et de soufre, une fois récupérée, et partiellement asséchée, peut être transformée en gypse, un matériau courant dans la construction. Mais le plus souvent, les inutilisables boues de soufre et de soude ou de magnésium sont déversées dans d'immenses bassins de conservation, des mines ou des carrières abandonnées.

L'appareillage d'un épurateur capable de traiter des gaz chargés de soufre d'une température de 250 degrés que lui injecte un fourneau typique de 250 mégawatts est beaucoup plus massif et enchevêtré qu'un laboratoire de chimie : 50 tonnes d'eau à l'heure, 120 tonnes de calcaire par jour, des milles de tuyauterie, des convoyeurs, et des bouches d'aération dans un bâtiment d'habituellement cinq étages adjacent aux fourneaux à charbon. Mais il y parvient. Avant même que le gouvernement américain

118

ne commence à réagir contre la pollution de l'air par le dioxyde de soufre en 1970, la technologie de l'épuration parvenait à lessiver de 70 à 75 pour cent du dioxyde de soufre des centrales alimentées au charbon. Et depuis 1971, une poignée de centrales se sont vues forcées de recourir à la technologie de l'épuration comme seul moyen de réduire suffisamment les émissions pour éviter de violer la loi sur la qualité de l'air ambiant, devenue plus contraignante. En 1978, la technologie avait progressé au point de pouvoir épurer 90 pour cent ou davantage des émissions.

Mais tout au long des années 70, les services publics ont fustigé l'épuration comme s'il s'agissait d'une technologie ni démontrée ni fiable. Seule une poignée de centrales énergétiques l'avait adoptée avec ce que l'industrie des services publics appelait des succès mitigés. Elle exigeait d'énormes usines adjacentes et faisait courir le risque qu'une courroie de transport en se bloquant ou un tuyau en se bouchant rende inopérante la centrale tout entière ou empêche la production d'énergie. On se plaignit même de ce que la boue représentait un fléau tant pour l'environnement que pour l'esthétique du paysage. L'industrie préférait édifier de hautes cheminées et repousser la pollution de l'air loin de sa vue. Dans un pays qui envoyait des fusées vers la lune et harnachait la puissance de l'atome lui-même, l'affirmation selon laquelle une technologie n'était pas fiable semblait étrange mais elle n'en demeurait pas moins efficace. Hydro-Ontario s'en prévalait encore vers la fin de 1978 en affirmant que l'une des raisons pour lesquelles on n'installait pas d'épurateurs à Atikokan reposait sur leur «fiabilité non démontrée.»

Lorsque l'Agence américaine de protection de l'environnement fit enfin face aux critiques adressées aux épurateurs, elle demanda de l'aide aux maîtres de la technologie appliquée, les Japonais. Au cours d'une tournée au Japon en février 1978, une délégation de responsables du gouvernement et de l'industrie découvrit que la technologie de l'épuration y constituait la clé d'une réduction de 50 pour cent de la pollution de l'air par le dioxyde de soufre depuis 1967, malgré une hausse de 120 pour cent de la consommation d'énergie [3]. En 1978, plus de 500 usines

3. U.S. SENATE COMMITTEE ON ENERGY AND NATURAL RESOURCES, *Interagency Task Force Report: Sulphur Oxides Control Technology in Japan*, Washington, D.C., 3 juin 1978.

équipées d'épurateurs fonctionnaient au Japon, et retiraient en moyenne 90 pour cent des gaz des centrales électriques alimentées au charbon ou à l'huile, des fonderies et des usines d'acide sulfurique. Comble de l'ironie, une bonne part de la technologie et, dans certains cas, l'appareillage lui-même provenaient de firmes américaines. Cette technologie était indifféremment appliquée à des nouvelles ou à d'anciennes usines. À la centrale typique de Takasago, appartenant à la Compagnie de développement de l'énergie électrique, les épurateurs furent ajoutés en 1975 d'après une technologie mise au point aux États-Unis. En 1978, les appareils de contrôle de la pollution retiraient 93 pour cent des gaz de dioxyde de soufre sans panne 99 pour cent du temps. Les épurateurs avaient coûté 42.6 millions de dollars américains à la compagnie ; il ne lui coûtait pas plus de 12 pour cent du prix de l'électricité ainsi produite pour la rendre propre.

« La désulfurisation des gaz de cheminées (les épurateurs) fonctionne bien au Japon », rapporta la délégation à son retour à Washington. « Mais certaines différences apparurent en comparant la situation du Japon à celle qui prévaut aux États-Unis. » Au Japon, presque toutes les usines équipées d'épurateurs produisent un dérivé utilisable, le gypse, mais pas aux États-Unis. Les travailleurs y reçoivent un entraînement qui vise à assurer une fiabilité permanente, ce qui n'est pas le cas dans les centrales américaines. Les industries japonaises doivent faire face à une taxe sans cesse croissante, de plus de 4 000 $ par jour en 1978, sur les émissions de soufre quels que soient par ailleurs leurs succès à les endiguer, pour les encourager à faire mieux. Cette taxe sert à défrayer les coûts médicaux des victimes de la pollution de l'air. Rien de tel n'existe en Amérique du Nord. Et enfin, dans les mots des enquêteurs américains : « La meilleure description que l'on puisse faire de la dernière différence entre les États-Unis et le Japon est qu'un esprit de coopération sincère semble exister au sein des industries et des agences de contrôle japonaises... L'industrie des services publics a endossé la volonté nationale d'un environnement plus propre et s'est sincèrement efforcée d'acheter les meilleurs épurateurs et de les utiliser comme il convient. »

En se servant du rapport de la délégation et des raffinements de la technologie de l'épuration capable de réduire les éléments chimiques et les déchets, l'Agence américaine de protection de l'environnement a finalement pu convaincre le Congrès, en 1979, de réduire les niveaux de pollution des futures centrales énergétiques alimentées au charbon. Ces niveaux, fixés entre 70 et 90 pour cent de réduction des gaz producteurs d'acide selon la malpropreté du charbon, étaient inférieurs à la capacité de la technologie de l'épuration, mais mettaient du moins un terme au chantage technologique entrepris par l'industrie. L'imposition de ces niveaux plus rigoureux aux nouvelles sources d'émissions devenait nécessaire du fait que le pays, désemparé, se tournait vers le charbon pour remplacer l'huile si dispendieuse. D'après le département américain de l'énergie, 350 nouvelles centrales alimentées au charbon pourraient être nécessaires d'ici l'an 2000. Si elles appliquent uniformément ces niveaux imposés aux nouvelles sources, chacune de ces centrales n'émettra que 12 livres de dioxyde de soufre par tonne de charbon, plutôt que les 160 livres des centrales actuelles.

À prime abord, le coût de l'installation de systèmes d'épuration au moment de la construction de ces nouvelles centrales est loin d'être négligeable : il gonflera de près de 10 milliards de dollars le capital du programme d'expansion des centrales alimentées au charbon. Mais comme le soulignait avec un luxe de détails considérable l'Agence américaine de protection de l'environnement en mai 1979, alors que le Congrès étudiait ce projet de loi, ce coût est infime lorsqu'on le compare à celui de l'ensemble du programme évalué au montant incroyable de 770 milliards de dollars de 1979 à 1995 [4]. Même aux États-Unis, de telles sommes représentent une abstraction aux yeux du citoyen moyen, mais lorsqu'il s'agit d'énergie, ceux-ci font porter leurs efforts d'une façon gigantesque sur le charbon. Les contrôles de pollution sont un faible prix à payer, d'après l'Agence ; ils n'augmentent que de 2 pour cent les revenus nécessaires aux centrales électriques, ce qui se traduira en 1995 que par une augmentation de 1,20 $ des comptes mensuels des abonnés résidentiels. Selon une déclaration faite en 1979 par Doug Costle, administrateur de l'Agence, les Américains sont certainement en mesure de défrayer le coût des contrôles de la pollution de leurs nouvelles centrales alimentées au charbon.

---

4. COSTLE, Douglas, « New Standards for Coal-Fired Power Plants », U.S. Environmental Protection Agency (EPA) Media Release, Washington, D.C., 25 mai 1979.

L'Agence a cependant omis de souligner deux facteurs essentiels. Malgré ces contrôles dont on dit tant de bien, les émissions totales des nouvelles centrales dont la construction est prévue pour 1995 représentent une importante augmentation des émissions américaines. En multipliant par 350 des quantités moindres de dioxyde de soufre émises par chaque nouvelle centrale, on en arrive à davantage de pollution dans l'ensemble, c'est-à-dire 2 millions de tonnes par année selon les prévisions. Les nouveaux standards produiront, avec tous leurs compromis, une augmentation du dioxyde de soufre plutôt que sa stabilisation, pour ne rien dire de sa réduction. Les nouveaux contrôles ne provoqueraient une diminution de la quantité totale des émissions que si les centrales n'étaient conçues que pour remplacer les anciennes. Mais ceci ne se produira pas au cours du siècle. En 1990, d'après les prévisions tant de l'Agence que de l'industrie des services publics, les centrales sales actuelles seront toujours responsables de 80 pour cent des émissions de dioxyde de soufre. En d'autres termes, il faudra endurer durant encore 20 ans la combustion du charbon et les hautes cheminées presque sans contraintes. La présomption selon laquelle un vieillissement hâtif forcerait la mise au rancart des centrales sales et qui constitue la pierre angulaire des politiques de l'Agence s'effrite déjà. Le coût d'opération des vieilles centrales non contrôlées étant moins élevé, les services publics américains s'apprêtent déjà à les utiliser comme sources constantes d'énergie tandis que les nouvelles ne le seraient que lorsque la demande sera à son plus haut niveau. L'abandon prévu des vieilles centrales se voit remplacé par des programmes de réparations et la prolongation de leur vie de malpropreté. Quelque part après 1995, lorsque les bouts de ficelle ou le fil de fer ne parviendront plus à les faire tenir, les centrales commenceront à fermer leurs portes et la quantité d'émissions de dioxyde de soufre commencera peut-être à décliner. Mais d'ici là, avec la réglementation actuelle, les émissions augmenteront de même que la diffusion des pluies acides. Aucune loi n'impose aux vieilles centrales d'installer des épurateurs. L'industrie des services publics affirme qu'il en coûterait trop cher. Exception faite de vagues références à l'imposition graduelle de charbon plus propre aux vieilles centrales, l'Agence n'a aucunement tenté de légiférer dans le but de forcer les plus de 250 vieilles centrales américaines à se prévaloir de la technologie de l'épuration, seule véritable solution.

Le lobby américain des services publics, appuyé par les intérêts du charbon, soutient que les centrales actuelles sont financièrement incontrôlables et cite en exemple les coûts prévus d'1 milliard de dollars pour réduire de 40 pour cent les émissions de 2.1 millions de tonnes par année des 14 centrales de la Tennessee Valley Authority; viennent ensuite les émissions d'1.5 million de tonnes par année des 14 centrales de la American Electric Power Company, puis les 632 000 tonnes par année des 13 centrales de la Commonwealth Edison. Les émissions des 10 centrales américaines d'où proviennent les plus grandes quantités de dioxyde de soufre totalisent 7 900 tonnes par jour, soit près de 3 millions de tonnes par année[5]. Ces centrales se trouvent toutes dans le tiers est des États-Unis.

L'Agence affirme, d'après ses estimations préliminaires, qu'il en coûterait en moyenne 100 millions de dollars pour équiper d'épurateurs une centrale énergétique typique de 500 mégawatts alimentée au charbon. Le prix serait plus élevé dans le cas de sources uniques beaucoup plus importantes comme la centrale de la Tennessee Valley Authority à Muhlenberg, au Kentucky, dont les émissions s'élèvent chaque jour à 1 705 tonnes de dioxyde[6]. Certains usagers de la Tennessee Valley Authority ont entrepris de porter devant les tribunaux leur lutte contre la réduction des émissions en provenance de ses centrales alimentées au charbon. Ils s'opposent aux éventuelles augmentations de tarifs. Ces causes seront d'autant plus intéressantes que la Tennessee Valley Authority appartient au gouvernement américain.

Au Canada, par contre, on ne prévoit pas construire des centaines de nouvelles centrales énergétiques alimentées au charbon qui nécessiteraient un contrôle rigoureux des émissions. Il existe en fait moins d'une douzaine de projets de cet ordre d'un bout à l'autre du pays. On n'y trouve pas non plus 250 centrales alimentées au charbon ou à l'huile qui crachent toujours virtuellement sans restrictions leurs émissions dans les

5. *Steam-Electric Plant Air and Water Quality Control Data for the Year Ended December 31, 1975*, Federal Energy Regulatory Commission, U.S. Department of Energy, Report n° DOE/FERC-0024.

6. Communication personnelle de William Baasel, Agence américaine de protection de l'environnement, Research Triangle Park, Caroline du Nord, 16 mai 1980.

cieux de l'est de l'Amérique du Nord. L'électricité, au Canada, provient surtout de centrales hydrauliques, et des provinces telles que le Québec, le Manitoba et la Colombie britannique possèdent toujours de réserves qu'elles n'ont pas exploitées. Le nombre des centrales électriques alimentées au charbon, à l'huile ou au gaz s'y élève à moins de 40. Aucune de ces centrales n'est soumise à un contrôle rigoureux de ses émissions de dioxyde de soufre, mais dans l'ensemble elles ne sont responsables que de 10 pour cent de la pollution de l'air par dioxyde de soufre au pays.

Le seul pollueur important parmi les services publics est l'Hydro Ontario qui, avec 450 000 tonnes par année en provenance de trois centrales énergétiques principales, se classe au second rang des pollueurs ontariens, derrière l'Inco. L'Hydro Ontario résiste de la même façon que ses contreparties américaines à l'implantation de la technologie des épurateurs en utilisant les mêmes arguments concernant son coût et sa fiabilité, tout en poursuivant la construction d'une nouvelle centrale énergétique, petite mais politiquement importante, à Atikokan, sans qu'une réglementation sur les nouvelles sources n'y impose de contraintes. La pollution produite par l'Hydro Ontario, insignifiante en comparaison avec les émissions beaucoup plus vastes de l'Inco à Sudbury, demeure en grande partie ignorée tant par l'Hydro que par la population ontarienne. L'Hydro Ontario appartient au gouvernement de l'Ontario.

Au Canada, les sources qui font problème ne sont pas les centrales énergétiques mais les fonderies comme celles de cuivre et de nickel du Québec, de l'Ontario et du Manitoba, responsables d'un peu plus de 50 pour cent de la pollution par dioxyde de soufre au pays. La fonderie de la Noranda Mines, à Murdochville, au Québec, ne se voit pas forcée de réduire ses émissions de 96 000 tonnes par année. La beaucoup plus grande fonderie de la même compagnie à Rouyn-Noranda, au Québec, ne souffre d'aucune restriction à ses émissions d'environ 605 000 tonnes par année, sans compter ses 443 tonnes d'arsenic, ses 210 tonnes de cadmium, ses 11 512 tonnes de plomb et ses 2.8 tonnes de mercure [7]. Au cours d'une entrevue parue dans le *New York*

7. GOUVERNEMENT DU QUÉBEC, Services de protection de l'environnement, Bureau d'études sur les substances toxiques, Projet « Région Rouyn-Noranda », *Groupe « Intervention » : Document de consultation*, rapport I–7, juillet 1979.

*Times Magazine* du 21 octobre 1979, Alfred Powis, président de la Noranda, commentait ainsi la pollution de l'air pratiquée par sa compagnie :

> « Si quoi que ce soit pouvait nous démontrer que nous causons de sérieux dommages à l'environnement... alors nous songerions à mettre un terme à nos opérations. Nous n'avons jamais pu découvrir de traces ou de preuves de tels dommages. Nous fonctionnons avec la conscience claire. Nous ne parvenons même pas à découvrir de traces de dommages que nous aurions pu causer à la faune dans la région. On n'a jamais découvert dans les forêts d'abattage un seul arbre ou un groupe d'arbres qui soit mort à cause du dioxyde de soufre. Nos émissions sont soigneusement contrôlées par nous-mêmes et par le gouvernement canadien. »

Powis publiait ainsi le certificat de bonne santé et de propreté de sa compagnie moins d'un avant que le gouvernement du Québec ne fasse paraître le premier de ses 36 volumes de relevés détaillés sur les émissions de la Noranda Mines Ltd. Ces études et le sommaire du rapport contredisaient virtuellement toutes les conclusions et affirmations du président de la Noranda. Le sommaire soulignait qu'un groupe de citoyens de Rouyn-Noranda avait poursuivi avec succès la compagnie devant la Cour des petites créances en 1977 en l'accusant d'avoir endommagé la faune locale par les émissions de sa fonderie. On y affirmait de plus que « le dioxyde de soufre est responsable de la détérioration de la faune dans la région... [Sur la rive nord du lac], les niveaux de cuivre et de zinc sont 100 fois plus élevés que la limite acceptable. » On y concluait qu'on « avait relevé dans les pluies aux alentours de la ville, une importante augmentation des concentrations de sulfate dont le maximum survenait à plusieurs kilomètres dans la direction où pointent les cônes d'émissions des cheminées [de la Noranda]. » La cheminée la plus haute de la Noranda s'élève à 500 pieds.

L'enquête québécoise, commencée en 1977, devait se limiter à l'environnement des alentours de la ville minière. Le rapport souligne que « la portée du dioxyde de soufre et ses effets sur l'acidité des pluies se font sentir sur de beaucoup plus grandes distances (allant jusqu'à 1 000 kilomètres). » Mais que « les pluies sont acides dans cette région du Québec (leur pH s'échelonne de 3.6 à 4.0) ». On y ajoutait aussi que, même si les émissions annuelles de dioxyde de soufre de la Noranda demeuraient sous le seuil de sécurité pour la santé dans la région immédiate, les vents transportaient continuellement des nuages de ce polluant et d'autres polluants à travers la communauté à des niveaux très supérieurs au seuil sécuritaire. » On peut raisonnablement lier le nombre excessif de mortalités dues aux problèmes respiratoires aux importantes concentrations que l'on retrouve à certains moments dans l'air ambiant de Rouyn-Noranda ». L'enquête québécoise soulignait l'absence de dossiers médicaux suffisants mais les recherches se poursuivent. Le gouvernement du Québec vient à peine de commencer à exercer des pressions pour que les émissions soient réduites à Rouyn-Noranda. Et il est juste d'imaginer que le président et sa compagnie commencent à peine à résister bien que la menace ultime concernant l'embauche ait déjà été lancée : « Si quoi que ce soit pouvait nous démontrer que nous causons de sérieux dommages à l'environnement... alors nous songerions à mettre un terme à nos opérations. »

Sudbury se trouve à environ 150 milles au sud-ouest, de l'autre côté de la frontière ontarienne. En 1980, la cheminée géante de l'Inco a obtenu la permission du gouvernement de l'Ontario d'émettre 3 600 tonnes par jour au moins jusqu'en 1983. Après cette date, on suppose qu'une réduction indéterminée lui sera imposée. L'Inco avait reçu l'ordre en 1970 de réduire ses émissions quotidiennes de 6 000 tonnes qu'elles étaient à 750 en 1978. La compagnie n'est pas parvenue à en émettre moins de 3 600 et se voyait accorder un délai de 5 ans à ce niveau. De l'autre côté de Sudbury se trouve l'autre fonderie, presque oubliée : la Falconbridge Nickel Mines Lts. D'une capacité de moins d'un tiers de celle de l'Inco, avec ses revenus de 130 millions de dollars en 1979, ses 2 000 travailleurs habitant à Sudbury, et sa capacité de production de 80 millions de livres de nickel extrait de ses mines, la Falconbridge a terminé en 1978 la reconstruction de sa fonderie au coût de 83 millions de dollars tout en réduisant à 460 tonnes par jour ses émissions de dioxyde de soufre, soit de 80 pour cent de ce qu'elles étaient une décennie plus tôt. La compagnie transforme son dioxyde de soufre en acide sulfurique qu'elle vend. La Falconbridge n'est sous le coup d'aucun ordre important de la part du gouvernement ontarien en ce qui a trait au contrôle de l'environnement.

À 1 000 milles au nord-ouest, à Thompson, au Manitoba, l'Inco (encore) exploite sa plus récente fonderie de nickel, sujette à des limitations d'émissions imposées par le gouvernement provincial de 1 250 tonnes de dioxyde de soufre par jour. (La fonderie fonctionnait au ralenti en 1980 tout en rejetant en moyenne 650 tonnes par jour.) On ne lui a pas ordonné de réduire ses émissions. À quelques milles à l'est de la frontière entre le Manitoba et la Saskatchewan, la Hudson's Bay Mining n'était pas, au milieu de 1979, sous le coup d'ordres de limiter directement ses émissions, mais simplement priée de demeurer dans les limites provinciales et nationale de .02 partie pour un million dans l'air ambiant sur la base d'une moyenne annuelle. La fonderie fonctionnait en conséquence en émettant environ 800 tonnes de dioxyde de soufre par jour et on s'attendait à ce qu'elle obtienne un renouvellement de son permis d'exploitation au même niveau en 1980.

Telles sont donc les sources les plus importantes de dioxyde de soufre au Canada. Ce n'est pas sans raisons que la fonderie de l'Inco à Sudbury a retenu la plus grande part de l'attention lors des débats sur la nécessité de réduire ses émissions. Il s'agit, après tout, de la plus grande fonderie de la planète et de la plus importante source unique de dioxyde de soufre d'Amérique du Nord sinon de la planète. Le dossier de réduction de la compagnie de même que le super-problème de la super-cheminée sont, par plusieurs facettes, représentatifs du genre de machination dont se font complices le gouvernement et les pollueurs puissants, et le cas de l'Inco est abordé ailleurs dans ce livre. Au début de 1979, l'Inco avait prévenu la commission parlementaire de la législature ontarienne qui enquêtait sur les pluies acides que toute réduction substantielle des émissions à Sudbury « se chiffrerait dans les milliards. » Ainsi que le soulignait le rapport de la commission, le ministère provincial de l'Environnement n'était pathétiquement pas en mesure d'évaluer la validité de cette affirmation. Mais on enregistra le montant, ou la menace, d'un milliard de dollars sans beaucoup le contester et il eut pour effet d'empêcher qu'on s'en prenne à l'Inco ou à aucune autre source canadienne importante. On n'a pas attaché beaucoup d'importance au coût de nettoyage national des émissions de dioxyde de soufre tout en présumant qu'il serait énorme.

En 1979, le ministre fédéral de l'Environnement, John Fraser, truffait ses discours d'allusions à ce coût énorme des réductions. En septembre, il déclarait qu'une réduction de 50 pour cent des sources de l'est du Canada coûterait « jusqu'à 350 millions de dollars par année [et qu'] une réduction du même ordre dans le nord-est des États-Unis pourrait coûter 5 milliards de dollars par année. En novembre de la même année, au cours d'une conférence publique internationale sur les pluies acides, Fraser avait revisé ses chiffres à la hausse, parlant de 500 millions de dollars par année durant 20 ans au Canada, soit 10 milliards au total, et d'au moins 8 fois plus dans le nord-est des États-Unis. Le chiffre de 10 milliards servit d'argument important lorsque l'Ontario soutint que ni la province ni le pays ne pouvaient se précipiter la tête baissée dans un programme de réduction qui contenait de tels risques de chaos économique, un vieux refrain bien connu en Ontario quand les contrôles de la pollution sont en cause.

Des montants aussi énormes que 10 milliards ont bonne presse, bien qu'ils ne représentent que la moitié d'une analyse sérieuse des coûts et bénéfices. Et en l'absence de toute mention tant au niveau fédéral qu'au niveau provincial, sans compter les études sur le sujet, des bénéfices financiers d'émissions réduites, ce montant a acquis droit de cité dans le débat sur les pluies acides au Canada. Mais en fait ce montant de 10 milliards est étrangement vague. Comme devait le reconnaître plus tard un fonctionnaire senior de l'Environnement fédéral : « Il s'agissait là d'un chiffre de départ, dont le but était simplement de donner une idée de l'importance des coûts auxquels nous croyions faire face. Il ne reposait sur aucune étude en profondeur de la technologie ; il n'existe aucun rapport ou étude gouvernementale interne. Ce n'était, eh bien, — j'ignore comment nous y sommes parvenus, — ce n'était qu'un montant grossier [8]. » Au cours d'une entrevue subséquente, il expliqua que ce montant représentait une évaluation des coûts de réduction de 50 pour cent de toutes les principales fonderies du Canada de même que de l'Hydro Ontario. Il reconnut cependant que le montant de 10 milliards avancé pour le nettoyage semblait « plutôt terrifiant, du moins dans certains milieux. »

Au milieu de 1980 pourtant, le nouveau ministre fédéral de l'environnement, John Roberts, annonça sans prévenir que

---

8. LEMMON, Bill, Air Pollution Control Directorate, Environnement Canada, au cours d'une entrevue avec Ross Howard, le 5 mai 1980.

l'Inco pourrait à elle seule réduire ses émissions de 50 pour cent en 1985 au coût de seulement 400 millions de dollars. Ce coût, axé sur la reconstruction du cœur de la fonderie de façon à produire de l'acide sulfurique monnayable, pourrait être assumé par l'Inco sans qu'elle en ressente de malaise financier notable, et sans l'aide du gouvernement, devait déclarer le ministre. La déclaration de Roberts s'appuyait sur des analyses « très fiables » de la situation économique de l'Inco et sur une évaluation sommaire et détaillée des coûts des technologies de réduction existantes que pour la première fois un gouvernement canadien prenait le temps et l'initiative d'examiner. Charles Baird, le président de l'Inco ne causa aucune surprise en niant la valeur des études fédérales, bien qu'il ait reconnu l'existence de techno- logies capables de réduire de 50 pour cent ou davantage les émissions. Baird refusa d'expliquer sa version du coût, préférant faire allusion à des « centaines de millions de dollars » tout en spécifiant qu'il ne voulait pas seulement dire quelques centaines. Ce montant était lui-même inférieur à celui que sa compagnie avait discuté devant la commission parlementaire seulement 18 mois plus tôt. Baird ne fit aucun commentaire sur la capacité de sa compagnie à rogner les coûts, même s'il ne s'agissait que de glisser de « milliards » à des « centaines de millions. » Tout porte à croire que le coût de nettoyage d'une poignée de plus petites fonderies et de quelques rares centrales énergétiques à travers le pays s'élèvera lui aussi à beaucoup moins que l'estimation originale hâtive et terrifiante de 10 milliards de dollars. La fin justifie les moyens, dit l'adage. Il manque au Canada une fin politique qui indiquerait aux pollueurs les moyens.

Un pays du moins a affronté son problème de pluies acides face à face et recouru à des lois actives et ingénieuses pour endiguer les dégâts. Bien entendu, la Suède a été l'un des premiers pays à identifier l'agent polluant qui provenait en grande partie du Continent et de la Grande-Bretagne. Dans les années 30, les inspecteurs suédois des pêcheries rapportaient la disparition de gardons extrêmement sensibles dans les rivières et les lacs de la côte ouest. En 1926, dans la Norvège voisine, un chercheur du nom de Sunde démontrait déjà que le taux élevé de mortalité dans les frayères de saumon découlait de l'acidité des eaux des torrents qui s'y déversaient. En 1955, les biologistes Barret et Brodin publiaient leurs relevés des pluies acides à travers la Scandinavie et établissaient un lien entre celles-ci et la perte des lacs et des poissons. Ils y prévenaient que l'alcalinité constituait la clé capable de mesurer la capacité tampon des lacs et que l'alcalinité déclinait. En 1968, un biologiste du collège suédois d'agriculture d'Uppsala, Svante Oden, décrivait comment la pollution acide de l'air affectait les sols et les eaux à ciel ouvert, retardait la croissance des plantes, modifiant les écosystèmes, la flore et la faune des lacs et des rivières, tuant certains organismes, et bien davantage.

Des études ultérieures prévoyaient des pertes de 7 pour cent des ressources forestières, l'un des fondements de l'économie suédoise et conclurent que si les concentrations de dioxyde de soufre demeuraient inchangées, les coûts de la corrosion et des réparations à la propriété causées par les composés du soufre passeraient de 500 millions de dollars en 1970 à près de 2 milliards en l'an 2000. Les coûts ne s'appliquaient qu'aux dommages causés à l'acier et au bois peint et ne tenaient pas compte de l'érosion du calcaire, du grès, des structures de béton et de ciment. Les rapports suédois de 1971 abordèrent aussi la santé. De leur propre aveu, les conclusions auxquelles parvenaient les auteurs étaient conjecturales, et la Suède imposait déjà des limites maximum obligatoires au dioxyde de soufre dans la pollution de l'air. Mais si des décès attribuables à la pollution survenaient à des niveaux inférieurs aux limites permissibles, soutenait le rapport, — « et aucune des données disponibles ne contredit cela » — alors même une légère augmentation du dioxyde de soufre et de ses composés pourrait signifier d'importants risques d'une augmentation du danger pour la santé.

Le rapport du gouvernement suédois sur les pluies acides de 1971 fut bientôt suivi de sa traduction intégrale en anglais et devait constituer la contribution la plus importante de la Suède à la Conférence des Nations Unies sur l'environnement tenue à Stockholm en 1972. En 95 pages qui résumaient plus de 46 autres rapports provenant de deux décennies de recherche, les Suédois relevaient tout ce qu'on connaissait et soupçonnait au sujet des pluies acides : leurs sources, leur volume, leurs régions d'impact et leurs dommages, le coût des dommages de même que celui du nettoyage et de la prévention. Ces pages comportaient des références à des milliers de lacs agonisants en Scandinavie, appelaient « catastrophique » la situation actuelle , faisaient état de prédictions de ce qui arriverait 10 et 28 ans plus tard si les pluies se poursuivaient, et recommandaient une politique de contrôle de la pollution de l'air. Elles soulignaient que des conditions presque identiques dans la géographie, la température, la vulnérabilité des lacs et les sources des pluies acides existaient probablement « au Canada et dans le nord-est des États-Unis. Une étude détaillée portant sur la vraisemblance d'un tel développement [la mort par acidification] revêt un caractère d'urgence. » Le rapport suédois était brutal, complet et compréhensible par tous. Publié sous forme d'un petit livre à couverture rouge, il servit de munitions aux Scandinaves lorsqu'ils déclarèrent la guerre à leurs pluies acides et moins d'un an plus tard la Norvège et la Suède avaient élaboré des lois visant à les endiguer, la Norvège consacrant 10 millions de dollars à la seule recherche. De ce côté-ci de l'Atlantique, pourtant, même de nos jours une poignée seulement de scientifiques et encore moins de politiciens ont lu le petit livre rouge suédois.

Dès 1969, la Suède commençait à légiférer contre les pluies acides en imposant des limites à la combustion d'huile lourde contenant plus de 2.5 pour cent de soufre. Mais en 1975, alors qu'augmentaient les preuves à l'appui des avertissements contenus dans le livre rouge de 1971, la Suède se sentit forcée d'envisager des réductions beaucoup plus importantes. Comme l'avait prévu le livre rouge, le pays émettait alors près d'un million de tonnes de dioxyde de soufre dont 80 pour cent provenaient de centrales calorifiques, énergétiques et électriques alimentées au charbon qui desservaient tant l'industrie que les consommateurs. Les études avaient aussi envisagé des moyens de réduire ces émissions polluantes soit par l'utilisation d'huiles moins soufrées, soit par celle d'appareils capables de filtrer les gaz et de capturer le soufre, soit par des lois qui forceraient les industries à abandonner les procédés « sales ». En 1977, après avoir pesé le pour et le contre, le gouvernement agissait : les sources importantes — alimentées à l'huile — seraient endiguées les premières ; elles généraient les pires émissions. Les 16 comtés les plus développés de Suède, où l'on brûlait 75 pour cent de l'huile lourde, reçurent l'ordre d'acheter une huile plus propre, réduisant ainsi le contenu en soufre de 2.5 à 1 pour cent. En 1984, cette interdiction s'étendra à l'ensemble du pays. L'huile légère du genre diesel contenant plus de .3 pour cent de soufre avait été interdite à la grandeur du pays en 1977.

Les industries qui émettent du dioxyde de soufre pour d'autres raisons ne furent pas oubliées malgré leur faible contribution. En 1985, ces industries devront avoir réduit leurs émissions de 50 pour cent. Les technologies ou les procédés alternatifs capables d'accomplir cette réduction existaient déjà, soulignaient les rapports suédois, mais il fallait un certain temps pour procéder aux ajustements. Dans le but de s'assurer que les réductions surviendraient aux dates prévues, la Suède imposa aussi des « stimulants économiques » : les pollueurs au dioxyde de soufre qui feraient défaut de se plier à ces contraintes se verraient imposer des coûts d'émission de façon à éliminer tout avantage économique que pourraient retirer les usines en poursuivant leurs opérations avec des procédés peu dispendieux et sales.

L'huile est à la Suède ce que le charbon est aux États-Unis : une source vitale d'énergie mais aussi de pluies acides. En 1974, la Suède a consommé près de 19 millions de tonnes d'huile pour son industrie, son énergie et son chauffage, et sa détermination agressive de réduire l'utilisation des huiles les moins dispendieuses et les plus sales, tout en endiguant près de 50 pour cent de ses émissions de soufre avant 1985, se révèle onéreuse. Cette politique coûtera en effet 115 millions de dollars supplémentaires à l'industrie et aux consommateurs avant 1985 d'après les évaluations auxquelles on a procédé avant d'imposer les restrictions. Et pourtant, le Parlement suédois a adopté sans difficulté ces mesures. Dès 1971, il apparaissait clairement qu'à défaut de prendre ces mesures, leur coût en serait beaucoup plus élevé en l'an 2000 et s'évaluerait en forêts endommagées, en propriétés corrodées, en pêcheries détruites et en tourisme interrompu.

La décision de réduire la possibilité des pluies acides n'alla pas toutefois sans controverse. Si les émissions doivent être réduites au moment même où la demande d'énergie s'accroît, il est nécessaire d'utiliser un autre carburant qui soit propre. La Suède a opté pour un accroissement de son potentiel nucléaire. Le programme de construction de réacteurs nucléaires a été en conséquence multiplié par six, soit au moins 12 réacteurs en 1985. Comme le soulignait la commission nationale qui a élaboré les politiques suédoises de réduction de pluies acides en 1976, les réacteurs produiront 66 milliards de kilowatts/heures d'énergie électrique sans les 400 000 tonnes de dioxyde de soufre qu'émettraient chaque année des centrales équivalentes alimentées à l'huile. Les politiques favorables au nucléaire n'ont pas été adoptées uniquement à cause des pluies acides ; l'escalade des prix de l'huile a compté au moins autant dans cette décision. Le calcul des coûts de la réduction des pluies acides ne tient pas compte du programme de plusieurs milliards de dollars d'expansion du nucléaire. La controverse à ce sujet fait rage sans discontinuer en Suède depuis que cette décision a été prise ; elle a renversé au moins un gouvernement et était loin d'être résolue à la fin de 1979. De nos jours, le débat s'arrête à la quantité d'énergie qu'il serait possible d'économiser par conservation ou utilisation de sources renouvelables. Nul ne propose toutefois de revenir aux sources d'énergie productrices de pluies acides.

Les initiatives de la Suède sont d'autant plus remarquables qu'elles ne résoudront pas son problème d'environnement ; tout au plus l'empêcheront-elles de se dégrader rapidement. Sans contrôles européens des sources de soufre, la Suède continuera de recevoir au moins 310 000 tonnes de soufre étranger transporté par les vents en 1985, presque la quantité que la Suède s'est engagée à endiguer sur son propre territoire. « Même si les contrôles les plus rigoureux sont appliqués en Suède, le (...) soufre s'accroîtra si des programmes de contrôle ne sont pas implantés dans d'autres pays européens », devait prévenir une commission gouvernementale en 1976. On ne promettait ou ne prévoyait nulle part en Europe de telles mesures à l'époque et pourtant la Suède est allée de l'avant. Depuis 1978, la Suède se trouve au premier rang des pays qui exercent des pressions sur l'Europe pour qu'elle réduise ses émissions de soufre. Chargés de rapports, de projections et d'analyses de coûts et bénéfices, les Suédois apparaissent dès que le problème doit être discuté. En 1979, les scientifiques suédois semèrent la pagaille lors d'une rencontre scientifique de l'OTAN à Toronto avec leurs cartes qui accusaient la Grande-Bretagne de laisser s'écouler des torrents continuels d'air chargé de soufre par dessus la mer du Nord jusqu'en Scandinavie. Aux différents quartiers-généraux de la Communauté Économique Européenne, les Suédois sont reconnus comme les experts et les agitateurs des propositions concernant les pluies acides. La C.E.E. devait entreprendre quelque part en 1980 l'étude détaillée de la proposition suédoise visant à un traité international qui forcerait l'Europe à endiguer les pluies acides. Les mains propres, et bénéficiant d'un air relativement propre, les Suédois pressent le pas pendant que les pluies acides continuent de tomber.

La Suède a amorcé le nettoyage de ses pluies acides par des lois relativement simples qui décrétaient un aménagement technologique simple : il s'agissait de réduire le contenu en soufre des huiles utilisées par les centrales énergétiques. Ces sources étaient responsables de plus de 80 pour cent du problème, exception faite des automobiles. Mais contrairement à l'Europe ou à l'Amérique du Nord, la Suède possède peu de centrales énergétiques alimentées au charbon et encore moins de fonderies malpropres. (En 1976, les chercheurs suédois ont audacieusement prédit qu'il en coûterait à la seule Europe de l'Ouest 450 millions de dollars en 1985 pour réduire de 22 à 8 millions de tonnes par année ses émissions de dioxyde de soufre.) Les coûts sans cesse croissants de l'huile excluent de toute façon celle-ci du marché des bouilloires et des générateurs. La Suède est à peine plus étendue que Terre-Neuve et sa population équivaut à celle de l'Ontario ; pourtant sa réaction vive et déterminée face au problème des pluies acides devrait faire rougir les pays plus importants. Nous connaissons le problème et possédons la technologie capable de le résoudre. À long terme, il en coûtera effectivement moins cher d'endiguer les pluies acides et il sera plus profitable de le faire que de les laisser tomber sans discontinuer. Qu'est-ce qui nous empêche d'agir ?

# 7

# La politique des acides en Ontario

Atikokan, avec sa population de 6 000 âmes, se trouve au nord du lac Supérieur, à 650 milles du centre de l'Ontario, sur la route solitaire qui relie la province au Minnesota. Au milieu des années 70, la ville semblait destinée à l'oubli puisque sa principale industrie, la Stup Rock Iron Mine, voyait ses gisements de fer s'épuiser. Tandis que la mine remerciait ses employés, Atikokan amorçait sa lente transformation en ville-fantôme, sort habituellement réservé aux communautés du nord qui sont sujettes à une pénurie de ressources. Un journaliste de passage décrivit ainsi l'endroit : « La banque a une allure délabrée ; du papier collant recouvre un trou fait par un vandale dans une fenêtre. Des fondations abandonnées témoignent de plans optimistes. Le samedi après-midi, les marchands restent dans leurs boutiques presque vides. Les jeunes désœuvrés s'amusent à lancer des briques et à taillader les pneus. »

Le charme d'Atikokan est peut-être intangible, mais la région environnante en diffère considérablement. Spécifiquement réservé aux amateurs de canoë et d'excursions, le parc provincial de Quetico, avec ses 1 120 000 acres de nature sauvage d'une beauté sans égal en Ontario, commence à 10 milles au sud. Aucune route ne franchit son enceinte. Dès 1909, la nature sauvage et primitive de Quetico a été destinée à une éternelle conservation. La même année, les États-Unis faisaient de même avec Superior Natural Forest, de l'autre côté de la frontière. La Boundary Waters Canoe Area se trouve entre les deux forêts avec son labyrinthe d'un million d'acres de rivières, de torrents et de lacs et constitue l'une des régions de canotage les plus intéressantes d'Amérique du Nord. Superior est la forêt vierge la plus étendue des États-Unis et le lieu de détente naturel le plus populaire du pays : cinquante millions de personnes vivent à moins de deux jours de route de Boundary.

En 1976, l'Hydro Ontario, propriété du gouvernement, a proposé la construction près de la ville d'une centrale électrique alimentée au charbon comme source d'énergie pour le nord-ouest et, tout aussi important, comme injection d'emplois et de revenus dans la région. Le projet impliquait au moins 1 000 travailleurs en construction. La centrale devait être de taille moyenne avec ses quatre générateurs de 200 mégawatts d'un coût supérieur à 800 millions de dollars, et être partiellement prête à fonctionner en 1983. Les documents préliminaires de l'Hydro Ontario concernant l'impact sur l'environnement indiquaient que la centrale et ses émissions de 200 tonnes de dioxyde de soufre par jour à travers une cheminée de 650 pieds ne causeraient aucun dommage à l'environnement dans la région, et le projet reçut l'approbation du gouvernement en juin 1977. Aucune évaluation détaillée et publique de la nécessité de la centrale et de ses risques n'eut lieu.

Le projet d'Atikokan ne passa pas inaperçu. Avant même son approbation, des écologistes américains avaient commencé à protester en soutenant que les émissions sans restrictions de dioxyde de soufre menaçaient de flétrir la nature sauvage des Boundary Waters. Dès le mois d'août 1977, Atikokan se transformait en épine politique, le gouvernement du Minnesota ayant protesté officiellement contre le projet de l'Hydro. D'après les Américains, la nature frontalière était d'une beauté et d'une fragilité si exceptionnelles qu'elles méritaient d'être protégées à tout prix contre toute intrusion dans son environnement. L'Hydro devrait équiper son projet d'épurateurs en dépensant 75 millions de dollars supplémentaires de façon à réduire d'au moins 50 pour cent les émissions de soufre de sa cheminée ou, du moins, en retarder la construction jusqu'à ce que son impact sur l'environnement soit clarifié. Influencé en grande partie par les analyses privées de l'Hydro, l'Ontario passa outre aux revendications du Minnesota en affirmant « l'absence de toute indication de dommages possibles. » Si l'on en croit les arguments de l'Hydro, la centrale non-contrôlée d'Atikokan était tout simplement trop petite pour ajouter des quantités significatives de dioxyde de soufre à des courants d'air régionnaux déjà chargés d'acides en provenance pour la plupart des États situés au sud qui consommaient beaucoup de charbon. Et la cheminée de 650 pieds de la centrale d'Atikokan garantissait que du dioxyde de soufre à basse altitude ne se répandait pas sur la nature environnante pour y semer ses lacs acidifiés, ses feuilles tachetées et ses arbres rabougris.

Le débat à propos d'Atikokan fit rage deux ans durant à tel point qu'il provoqua une protestation diplomatique inhabituelle et sèche de Washington auprès d'Ottawa. En mars 1979, le personnel de l'Agence américaine de protection de l'environnement à Duluth publia un rapport selon lequel Atikokan générerait suffisamment de pollution de l'air supplémentaire pour faire basculer certains lacs déjà sensibles aux acides de la région vers la mort par acidification. Mais des événements plus importants hâtèrent le dénouement. Tôt en 1979, l'Hydro Ontario réduisit tout à coup de moitié le format de son projet d'Atikokan. Cette décision ne concernait en rien les pluies acides ; elle faisait partie de la réaction de l'Hydro à l'inquiétude grandissante du public et des politiciens devant le programme de folle expansion du géant des services publics qui avait créé une capacité de production d'énergie de 40 pour cent supérieure aux besoins de la province, une dette de 10 milliards de dollars et une hausse rapide des tarifs d'électricité. Comme le soulignait le ministre ontarien de l'Environnement dans sa réponse cinglante à l'étude de l'Agence américaine de protection de l'environnement, Atikokan ne comprendrait que deux générateurs de 200 mégawatts, s'alimenterait au charbon à basse teneur en soufre importé du Saskatchewan et produirait moins de 30 tonnes de dioxyde de soufre par jour. Il n'existait aucune preuve que d'aussi petites émissions de dioxyde de soufre ou les pluies acides qui en résultent puissent endommager l'environnement local ou régional. De plus, au moins 70 pour cent des systèmes météorologiques prédominants de la région poussent les vents d'Atikokan vers l'est de l'Ontario et non pas vers le sud au Minnesota. Lorsque la mine Stup Rock, située près d'Atikokan, cesserait pour de bon ses opérations, son usine de transformation cesserait d'émettre son panache encore plus important de dioxyde de soufre. L'Ontario déclara que la centrale énergétique d'Atikokan n'avait nul besoin d'épurateurs et qu'on n'en construirait pas. Les États-Unis devraient examiner leurs propres énormes émissions de dioxyde de soufre, dont celles qui provenaient des 22 centrales alimentées au charbon et non contrôlées du sud du Minnesota, s'ils s'inquiétaient de la pollution aérienne.

Il s'agissait là d'une cuisante fin de non-recevoir, l'une de celles qui pourraient avoir poussé les Américains à entreprendre des études encore plus approfondies, enragé les écologistes et provoqué de nouveaux échanges diplomatiques. (L'Agence américaine de protection de l'environnement, pour sa part, a rapidement répliqué qu'à la longue les émissions provoqueraient les dommages prévus.) Mais entretemps les pluies acides s'étaient transformées en une affaire qui dépassait de loin Atikokan. On avait découvert que les lacs de la région de villégiature du centre de l'Ontario subissaient les dommages des acides et on soupçonnait qu'il en allait de même avec les récoltes et la végétation. Atikokan rentra rapidement dans l'ombre tandis que les mêmes scientifiques qui s'étaient lancés les uns aux autres des expertises et des contre-expertises se voyaient obligés de discuter, malgré leurs réticences, des relevés de niveaux critiques d'acidité de Muskoka à Halifax à la Floride. Les politiciens commencèrent à chercher frénétiquement de nouvelles accusations et de nouvelles réfutations pour faire face à ce qu'on appelait une « urgence nationale » dans tout l'est du continent. L'Hydro Ontario poursuivit sans épurateurs la construction de la petite centrale énergétique oubliée.

Il ne faudrait toutefois pas oublier si facilement Atikokan. La controverse qui a fait rage à cette occasion est essentiellement la même que celle qui entoure les pluies acides de nos jours en Amérique du Nord. Deux pays voisins détruisent leur propre environnement et celui de leur voisin et ni l'un ni l'autre ne veut mettre un terme le premier à la pollution. Pendant cette controverse, de fortes pressions se sont exercées sur le Canada pour que celui-ci endigue une source de pollution somme toute insignifiante en comparaison avec les émissions américaines qui se déversent sur le Canada et celui-ci a refusé catégoriquement d'endiguer cette source alors que celle-ci et d'autres sources canadiennes menaçaient de semer le chaos dans l'environnement canadien et de souffler au sud vers les États-Unis [1].

L'ironie du sort, ou peut-être la simple étroitesse d'esprit, a voulu que l'Hydro Ontario, l'Ontario et le Canada décident de durcir leurs positions face à la réduction des pluies acides en se servant d'une centrale qui ne sera sans doute même pas nécessaire. Les projections des demandes d'énergie à long terme de l'Hydro ayant poursuivi leur baisse, il devint évident qu'Atikokan n'est pas absolument nécessaire pour répondre aux besoins du Nord. La décision prise en 1979 de réduire de 50 pour cent la puissance de la centrale venait confirmer pour la première fois son statut de surnuméraire. Une commission royale d'enquête sur les plans de développement à long terme de l'Hydro devait d'ailleurs en arriver à la conclusion, au début de 1980, qu'il existait des millions de kilowatts de réserves dans la procince voisine du Manitoba, 200 milles à l'ouest d'Atikokan [2]. L'Hydro Ontario, une créature du gouvernement de l'Ontario et depuis longtemps son instrument pour stimuler la « croissance », se dépêche de construire Atikokan dans le but d'atteindre un point de non-retour. Lorsqu'elle sera terminée, toutefois, si elle l'est jamais, la centrale offrira moins de 200 emplois à temps plein. Elle produira aussi un peu plus de pluie acide.

Le 13 janvier 1978, les représentants du ministère ontarien de l'énergie annoncèrent à la suite d'entretiens à Washington qu'ils rejetaient toute affirmation à l'effet que la centrale énergétique d'Atikokan puisse nécessiter des épurateurs d'air pollué ou de nouvelles études portant sur ses risques pour l'environnement de la région. « Il n'est pas dans les intentions de l'Ontario de participer à de nouvelles rencontres internationales au sujet du projet d'Atikokan » affirma au nom du gouvernement de

1. ONTARIO MINISTRY OF THE ENVIRONMENT, *Impacts of Air Pollutants on Wilderness Areas of Northern Minnesota: Review of Final Draft Copy*, 10 mai 1979.

2. GOVERNMENT OF ONTARIO, *The Report of the Royal Commission on Electric Power Planning*, février 1980.

l'Ontario, tout en définissant la position du gouvernement fédéral canadien, James Taylor, alors ministre provincial de l'énergie et responsable de l'Hydro. Les pluies acides étaient pour la première fois prises en considération au niveau politique et l'Ontario passait outre. Moins d'un an plus tard, le même gouvernement fut confronté à un problème de pluies acides face auquel il était impossible de passer outre, de l'ignorer, voire apparemment d'exercer quelque contrôle: l'Inco.

Douzième plus importante compagnie au Canada avec ses réservoirs de 4 milliards de dollars du Canada au Pays de Galles, du Guatémala à l'Indonésie, l'Inco Ltd, — autrefois la International Nickel Co. — dominait les marchés de nickel à l'échelle mondiale ainsi que le gouvernement de l'Ontario avec des pouvoirs apparentés à ceux d'un roi. On l'appelait jadis la King Nickel; certains la qualifient d'«arrogante»[3]. Depuis 1902, la compagnie fonde son empire sur la production de minerai de nickel devenu essentiel aussi bien pour les alliages d'acier, que pour les blindages ou les armes (d'un côté comme de l'autre durant la Première Guerre Mondiale), l'appareillage des laiteries ou les éléments des couvertures électriques, et même pour le pont Golden Gate, à San Francisco. À une époque, la Inco produisait 90 pour cent des approvisionnements mondiaux du merveilleux métal, et elle demeure de nos jours le plus important producteur de la planète. Au cours des dernières années, ses ventes ont dépassé les 2 milliards de dollars. Amie et bienfaitrice d'au moins un Premier ministre canadien, l'Inco a même eu durant un temps son propre syndicat, possédé des villes ainsi que le sort et la vie de dizaines de milliers de travailleurs à travers le monde. Les quartiers-généraux de l'Inco se trouvent à Toronto et à New York, ses entrailles à Sudbury, en Ontario, où des mines d'une profondeur d'un mille et les plus vastes fonderies du monde produisent chaque année des millions de livres de nickel.

L'Inco a marqué Sudbury d'une façon indélébile que certains qualifient de cicatrices et de contusions. Aucune autre ville du Canada ne dépend autant d'une seule industrie que Sudbury de l'Inco. Ces deux mots sont synonymes pour plusieurs Canadiens. Plus de 20 pour cent des emplois des 85 000 habitants de la ville

---

3. Ross, Val, «The Arrogance of Inco», *Canadian Bushers*, mai 1979.

dépendent directement de l'Inco ; chaque semaine, celle-ci injecte plus de 3 millions de dollars dans l'économie locale. Les accidents de travail y ont fait en moyenne de 5 à 8 victimes par année parmi les travailleurs au cours de la dernière décennie, selon que l'on se fie aux chiffres de la compagnie ou à ceux des syndicats. Les conditions de travail des 12 000 travailleurs de l'Inco ont continuellement fait surface lors des grèves répétées qui ont affligé la compagnie depuis les années 60. À la suite d'un examen approfondi des performances sécuritaires de l'Inco et du gouvernement de l'Ontario, par une commission royale sur la santé et la sécurité dans les mines, l'Inco s'est vue reléguée au dernier rang de tous les producteurs importants de métaux pour la sécurité. La compagnie et le gouvernement provincial, en grande partie à cause des pressions des syndicats, n'ont que récemment entrepris une étude de l'état de santé éventuel et du sort des dizaines de · milliers de travailleurs qui ont œuvré dans la poussière, la chaleur et les gaz de la mine et de la fonderie dont on dit qu'elles sont « un enfer très sale ». Lorsque l'Inco subit des revers de fortune, Sudbury en souffre en premier : un affaiblissement des marchés du nickel et des profits, dû à une surproduction et à des prévisions erronées de la compagnie, on fait perdre leur travail à 20 000 employés en 1977. Peu avant d'entreprendre une grève de 8½ mois en 1978-79 dans le but d'obtenir de meilleurs salaires et de meilleures conditions de travail, les travailleurs ont lancé le slogan « Inco Is a Four-Letter Word *. » Affligée d'immenses stocks de nickel accumulés au cours de sa surproduction, l'Inco profita de la grève en les vendant. Les travailleurs, pour leur part, durent se contenter d'un salaire de grève hebdomadaire de 25 $ tout au long de l'hiver.

L'Inco a fait sa marque bien au-delà de Sudbury. Le paysage environnant ressemble à ce point au paysage désolé de la lune que les cosmonautes américains s'y sont entraînés. Dès avant 1900, la forêt qui entoure Sudbury s'était clairsemée à cause des coupes massives et des inévitables incendies. Au tournant du siècle, la découverte du nickel contenu dans le sous-sol aidant, une bonne part de la forêt subsistante fut ravagée par le forage des puits de mine et l'alimentation des feux allumés sous les tas

---

* Ou, si l'on préfère, « l'Inco est une obscénité. » (N. du T.)

de minerai dans le but de « rôtir » celui-ci avant de le traiter. Le rôtissage produisait d'épais nuages de fumée chargée de soufre qui tuaient les arbres, les arbrisseaux et même le gazon. L'érosion du sol ne tarda pas à exposer le roc bientôt noirci. Après la construction des fonderies en 1930, la plus grande partie des gaz soufrés commença à jaillir des cheminées, et des montagnes de déchets composés de résidus et de scories commencèrent à s'accumuler sur des milles aux alentours des fonderies. La fumée dériva au-dessus de Sudbury ; la poussière et les impuretés des résidus obscurcirent le soleil les jours venteux. Il fallut attendre 1958 pour que la compagnie commence à semer une herbe spéciale capable de retenir la poussière des résidus. L'autre centaine de milles carrés des environs de Sudbury continua à ressembler à un paysage lunaire désolé et poussiéreux. Au cours des années 60, les cheminées de l'Inco rejetèrent chaque jour plus de 6 000 tonnes de dioxyde de soufre dans le paysage, constituant ainsi la source unique la plus importante du continent.

En 1970, les cieux jaunes-bruns de Sudbury, les gaz mordants qui roulaient au-dessus de la ville durant les mauvais jours et les violations incessantes des normes de l'air ambiant poussèrent le gouvernement ontarien à ordonner certains contrôles. Le ministre de l'Énergie et des Ressources, George Kerr, annonça en juillet que l'Inco se verrait forcée de réduire les émissions de sa fonderie principale à 5 200 tonnes par jour sur-le-champ, à 3 600 tonnes par jour à la fin de 1976, et à 750 tonnes au début de 1979. L'Inco se voyait par la même occasion sommée de construire une cheminée géante de 1 200 pieds « pour diluer et ainsi disperser les gaz provenant de la fonderie puisque les experts sont d'accord pour affirmer qu'il s'agit du *remède* le plus rapide au dioxyde de soufre [4]. » En fait, toutefois, l'idée de la cheminée géante, de même que presque tous les détails des contrôles imposés, avaient fait l'objet de « négociations » entre la compagnie et le ministère provincial de l'Environnement au cours de réunions confidentielles avant que ces normes ne soient décrétées. L'idée de la cheminée venait elle aussi de l'Inco : 15 mois plus tôt, presque secrètement, l'Inco avait fait part de son intention de la construire [5]. L'impact initial de cet ordre fut

4. Déclaration de l'Inco au Standing Committee on Resource Development Legislative Assembly of Ontario, 6 février 1979.

5. *Toronto Star*, 5 février 1979.

négligeable puisque l'Inco fonctionnait alors déjà en respectant les niveaux d'émissions imposés tout en s'efforçant de contrôler des émissions polluantes relativement négligeables sur le site de la fonderie. Les responsables de la compagnie laissèrent entendre qu'ils ignoraient de quelle façon ils allaient réduire de 90 pour cent en huit ans les émissions de leur fonderie la plus importante, mais aucun n'affirma, du moins publiquement, qu'il serait impossible d'y parvenir.

En 1973, trois ans avant l'échéance, l'Inco voyait ses émissions réduites à 3 600 tonnes par jour, en grande partie grâce à la construction d'une nouvelle usine de traitement capable de retirer le soufre du minerai de nickel avant que celui-ci ne soit fondu en émettant son dioxyde de soufre par la cheminée. La nouvelle usine augmenta la production de nickel tout en réduisant la pollution. Il s'agissait du plus bel exploit de l'Inco, mais aussi de son dernier dans le domaine de l'environnement. Après 1973, elle ne procéda à aucune autre réduction importante. Le 27 juillet 1978, le ministre provincial de l'Environnement annonça que de nouveaux contrôles seraient imposés, permettant à l'Inco d'émettre 3 600 tonnes par jour durant quatre autres années, un niveau que la compagnie avait atteint cinq ans plus tôt, et lui accordant par le fait même 10 ans pour passer sous les 3 600 tonnes. Dans un communiqué d'un seul paragraphe, l'Inco qualifia les nouveaux contrôles d'« approche sensible à une situation complexe. [Cette approche] reconnaît que d'importantes améliorations ont été apportées... elle impose à la compagnie de procéder à des études qui aideront le ministère à décider si d'autres actions doivent être entreprises. » Et le communiqué concluait par ce qui ne pouvait être perçu autrement que comme une menace de licenciements si l'on exigeait des contrôles plus sévères : « L'ordre [du ministère] permet entretemps à l'Inco de poursuivre les opérations de ses installations de Sudbury. » L'explication de son ordre par le ministère de l'Environnement fut beaucoup plus élaborée mais revenait au même. L'Inco avait procédé dès le début à une réduction considérable, rien n'indiquait qu'une réduction à moins de 3 600 tonnes était nécessaire, — l'air de Sudbury était remarquablement plus propre grâce à la cheminée géante, — et l'objectif de 750 tonnes était « injustifiable du point de vue de l'environnement et irréaliste sur le plan technologique. »

Il s'agissait d'une décision renversante, inattendue, et inacceptable tant pour les députés de l'opposition que pour une fraction bruyante de la population. Elle provoqua de vives critiques tant à l'endroit de la compagnie que du gouvernement, et une coalition sans précédent de 1,1 million de villégiateurs ontariens et d'écologistes qui exigèrent, par la voix de leurs représentants, la démission du ministre de l'Environnement de l'époque, George McCague. Les pluies acides n'avaient fait leur apparition dans les reportages des média d'information que quelques mois plus tôt, en même temps que les premiers rapports du ministère de l'environnement sur la mort des lacs par acidification dans les régions de Muskoka et de Killarny, et il était impossible de ne pas tenir compte, comme on l'avait fait avec Atikokan, des émissions de l'Inco, de l'accroissement de la zone des lacs endommagés par les acides ou de l'apparente impuissance du gouvernement. Moins de deux mois plus tard, sacrifié à la clameur inattendue de la population, le ministre de l'Environnement McCague se voyait relégué à un ministère relativement obscur et sans trop d'importance. Le nouveau ministre de l'Environnement, Harry Parrott, fit son apparition, le quatrième en cinq ans. Mais il fallut attendre février 1979, alors que la commission parlementaire sur le développement des ressources procéda à des audiences spéciales sur les pluies acides et l'Inco, pour voir clair dans le véritable rôle du gouvernement.

Les 18 longues sessions de la commission parlementaire où les fils tissés entre les pluies acides et l'Inco se voyaient démêlés ressemblaient à un scénario où le gouvernement et l'industrie auraient couché dans le même lit. Tandis que la tempête de neige assaillait le monde extérieur, les spectateurs demeuraient dans la salle d'audiences étouffante où une dizaine ou plus de responsables de l'Inco et du ministère de l'Environnement montaient la garde ensemble dans les dernières rangées. Contrairement à l'habitude, les législateurs y assistèrent de façon continue en plus grand nombre que ne le requiert le quorum et les média d'information s'y intéressèrent de près. Il s'agissait là d'un cours accéléré sur les pluies acides, les prises de décisions gouvernementales et la réponse des milieux d'affaires à l'intention du public ontarien et canadien. Lorsque la commission entendit les scientifiques spécialisés dans les questions d'environnement tant du gouvernement que de l'extérieur, les pluies acides et leurs importantes conséquences, ignorées depuis longtemps, avaient acquis droit de cité et l'attention se reporta sur les fonctionnaires et les politiciens à qui incombait la responsabilité d'y mettre un terme. Lorsque cette inquisition prit fin, l'incapacité du gouvernement à agir sur le Roi du Nickel et sa volonté de se retrancher derrière de vagues statistiques et des politiques indéterminées sautèrent aux yeux. Il en résulta une situation où la province protégeait l'Inco de toute réduction ultérieure, situation qui prévaut toujours ailleurs sur le continent où elle sert de modèle.

Les témoignages et les documents livrés à la commission permirent d'établir que dès 1970 l'Inco avait prévenu en privé le gouvernement qu'il était impossible, de son point de vue, de réduire ses émissions de dioxyde de soufre à 750 tonnes par jour. L'Inco avait pourtant reçu l'ordre de réduction sans protester ou sans en appeler publiquement. Il lui était relativement facile de réduire ses émissions à 3 600 tonnes par jour ; cette réduction bénéficiait au processus de production de nickel et dès 1971 était en passe d'être réalisée. Mais au-delà de cette réduction, il était impossible de faire quoi que ce soit. Au milieu des années 70, l'Inco avait consacré, tout à son crédit, 14 millions de dollars pour étudier une technologie de fonte différente, déjà en usage partout ailleurs, grâce à laquelle elle aurait récupéré la totalité du soufre. Mais elle déclara qu'il s'agissait d'une technologie inacceptable « pour des raisons techniques et économiques. » L'Inco avertit aussi qu'elle ignorait comment se débarrasser des surplus de soufre et d'acide. La compagnie procéda de même à une expérience de 9 millions de dollars destinée à capturer davantage de dioxyde de soufre lorsqu'il s'échappait de la fonderie mais, d'après ses propres affirmations, elle n'y parvint pas. L'Inco tenait régulièrement les responsables du ministère de l'Environnement au courant de ses échecs et ceux-ci avaient « l'impression très vive » en 1975 qu'il était inutile d'insister sur la limite de 750 tonnes, comme devait l'avouer Erv McIntyre, le principal représentant du ministère à Sudbury. McIntyre et d'autres représentants témoignèrent à l'effet qu'ils ignoraient pourquoi on avait tout d'abord fixé cette limite à 750 tonnes en 1970 mais l'Inco affirma qu'il était impossible d'y parvenir et le ministère en vint à croire l'Inco. La commission souligna, à la suite du témoignage de McIntyre, que « cette impression repose apparemment sur une perception des difficultés technologiques et économiques dans leur ensemble plutôt que sur une analyse complète et détaillée des solutions réductrices et de leurs coûts. » Quelques mois auparavant, McIntyre devait au moins reconnaître au cours d'une entrevue que : « Nous n'avons pas étudié leur analyse économique du coût des réductions. Ils parlaient en termes généraux et nous avons été forcément d'accord. Dans ce pays, les experts travaillent pour l'industrie minière comme c'est le cas de l'Inco[6]. »

Les experts de l'Inco rejetèrent les épurateurs d'air que l'on retrouvait ailleurs dans les centrales alimentées au charbon et les fonderies plus petites. D'après l'Inco, il en coûterait des milliards de dollars pour construire une nouvelle fonderie propre. Qui pouvait faire le poids face aux experts ? En 1975, l'Inco avait affirmé au gouvernement qu'il semblait possible de réduire les émissions de 3 600 tonnes à 1 500 tonnes en utilisant des fournaises plus efficaces. Il en coûterait près de 200 millions de dollars et il s'agissait là d'une idée, devait ajouter l'Inco, et non d'un engagement. Cette solution aurait impliqué le report d'un an de la date limite fixée à 1979 et aurait généré deux fois plus d'émissions que l'ordre n'en prévoyait. Le ministère rejeta l'idée en incitant plutôt l'Inco à poursuivre ses recherches et à découvrir une autre solution : l'Inco abandonna rapidement cette idée sous prétexte que les coûts s'en élèveraient à 100 millions de dollars de plus que prévu, ce qui était inacceptable.

L'Inco souligna qu'il existait une autre solution. Elle pouvait réduire les émissions tel que requis en ralentissant tout simplement la production de nickel. Cette solution impliquerait malheureusement la fermeture de 7 de ses 10 mines à Sudbury, de la plus grande partie de la fonderie, d'une raffinerie à Port Colborne et d'autres aménagements, de même que la mise à pied d'au moins 6 500 travailleurs. L'Inco serait forcée de quitter Sudbury. « Il est évident que les conséquences iraient à l'encontre des intérêts de l'Inco, ajouta la compagnie. Nous croyons qu'elles seraient de même indésirables du point de vue du public. » Il s'agissait d'un avertissement. Lorsque la date limite de 1979 approcha, le gouvernement ontarien recula sur ses positions en accordant à l'Inco un délai de quatre ans pour lui proposer des solutions.

---

6. *Toronto Star*, 5 août 1978.

Au cours des années, les discussions privées portèrent surtout sur les coûts pour l'Inco. La compagnie soutint qu'elle ne pouvait assumer 300 millions de dollars pour une réduction même partielle à moins de 3 600 tonnes par jour et encore moins les « milliards » nécessaires pour construire une nouvelle fonderie. Ces dépenses n'apporteraient rien d'autre à l'Inco que de l'air propre. Un tel investissement ne serait pas payé de retour et ne générerait pas de profits. D'après l'Inco, les montagnes de soufre brut ou les lacs d'acide sulfurique qui en résulteraient ne pouvaient ni être vendus à profit ni facilement entreposés. La compagnie préféra investir son argent en acquérant une usine de batteries américaine au coût de 270 millions de dollars ou, encouragée par des prêts fédéraux de 70 millions de dollars, s'engager pour 1,1 milliards de dollars dans le développement minier au Guatémala et en Indochine au début des années 70.

Les profits réalisés par l'Inco ont fléchi rapidement au début des années 70 à cause d'un marché imprévisiblement à la baisse et la compagnie accusait des arrérages d'impôts de plus de 200 millions de dollars en 1973. Mais en 1974, les profits approchaient de nouveau du plateau de 300 millions, grâce en partie à une réduction des coûts — et de 6 000 travailleurs — depuis 1972. En 1978, année où elle devait atteindre l'objectif controversé de 750 tonnes d'agents polluants, l'Inco avait accumulé 1,4 milliard de dollars de profit depuis l'imposition de cet objectif selon elle irréalisable. Faute d'une connaissance approfondie des technologies de réduction, des coûts présumés par l'Inco, des conséquences éventuelles pour l'environnement, ou même de la situation financière exacte de la compagnie, le gouvernement ontarien gobait tout ce qu'on lui racontait. Rien de tout ceci bien entendu ne fit l'objet de discussions publiques, bien que le ministère de l'Environnement et le cabinet aient été tenus au courant ; il fallut en fait attendre 1977 pour que le ministère se prononce sur les pluies acides.

À en croire les témoignages des responsables du ministère, ceux-ci étaient de toute façon satisfaits de la réduction à 3 600 tonnes réalisée par l'Inco, la cheminée géante avait énormément contribué à l'assainissement de l'air à Sudbury et personne ne pouvait prévoir les conséquences d'une dissémination de 3 600 tonnes par jour ailleurs dans l'atmosphère. McIntyre devait affirmer devant les membres incrédules de la commission :

« Nous savons qu'avec 3 600 tonnes par jour, ils [l'Inco] ne contribuent pas au problème des pluies acides », phrase qu'il modifia plus tard en ajoutant qu'ils n'y contribuaient pas de façon significative. Les experts du gouvernement en matière d'environnement soutinrent que les émissions de la cheminée géante étaient si diluées à l'extérieur de Sudbury que le blâme ne pouvait être rejeté sur l'Inco. « Je suis convaincu que la quantité [totale du dioxyde de soufre au-dessus de l'Ontario] est si importante que même si nous éliminons complètement nos émissions... le problème des pluies acides demeurerait entier », devait ajouter McIntyre. Il s'agissait d'une affirmation audacieuse d'où il ressortait que de nouvelles tentatives de réduction par l'Inco s'avéreraient inutiles.

Des scientifiques non à l'emploi du gouvrnement témoignèrent devant la commission à propos des quantités de métaux lourds que le panache de la cheminée géante laissait *toujours* retomber dans la région de Sudbury et les gens du ministère admirent qu'à ce niveau ils étaient toxiques pour les poissons (mais non pour les humeins). Le ministère démontra de même une méconnaissance complète de la quantité de dioxyde de soufre en suspension dans l'air et provenant de l'Inco, qui retombait en sulfates secs ou en matériaux susceptibles d'être transformés en acide ainsi que des endroits où ces retombées se produisaient. À défaut de savoir exactement de quelle quantité de pluies acides l'Inco, parmi d'autres sources sur le continent, était responsable ou quels en étaient les coûts précis, le gouvernement avait le sentiment de ne pouvoir agir ni en 1975, ni en 1978, ni peut-être en 1983. Une telle attitude avait de quoi surprendre de la part de l'Agence gouvernementale dont la raison d'être était de protéger l'environnement, à une époque où affluaient les témoignages à l'effet que les pluies acides constituaient une menace d'une ampleur sans précédent contre laquelle il fallait absolument agir de toute urgence à chaque source.

Dans ses conclusions, la commission parlementaire insista sur son inquiétude face au manque de données du ministère au sujet de l'Inco et signala que l'Inco devrait inévitablement réduire davantage ses émissions lorsqu'on procéderait au contrôle des pluies acides à l'échelle du continent. Elle reconnut cependant que tous ignoraient à quel point l'Inco devrait réduire ses émissions lors de ce nettoyage continental. Mais « d'autre part, tout nouveau délai dans la réduction des émissions de la part de la plus importante source de dioxyde de soufre et tout indice d'une absence de détermination à résoudre le très sérieux problème des pluies acides seraient extrêmement indésirables. » La commission recommanda au ministère de découvrir par ses propres moyens, en moins d'un an, indépendamment de l'Inco, si la technologie capable de réduire les émissions de 3 600 à 750 tonnes par jour existait et, dans ce cas, d'imposer son installation avant 1985. On ne mentionnait pas les coûts comme un facteur contraignant. Si cette technologie n'existait pas, on devrait alors ordonner à l'Inco d'agir comme elle avait elle-même reconnu qu'il était possible de le faire en réduisant de moitié ses 3 600 tonnes d'émissions. Il faudrait que ce soit fait avant la fin de 1983. Quelqu'un devait commencer quelque part à fermer les robinets de pluies acides. Il semblait approprié que la source le plus importante du continent, une compagnie qui jouissait d'une bonne santé financière, joue le rôle de pionnier dans ce domaine. La commission publia son rapport en juin 1979. Les huit membres du parti conservateur au pouvoir qui siégeaient sur cette commission de 16 membres se dissocièrent des recommandations mais n'en proposèrent aucune de leur cru. L'Inco ne commenta pas le rapport. Le gouvernement reçut éventuellement celui-ci en guise de conseils mais ne bougea pas. En 1980 rien n'avait changé de la cheminée géante de l'Inco ou de la limite de 3 600 tonnes de dioxyde de soufre par jour qui lui était imposée, pas plus que des précipitations de pluies acides partout sur le continent.

La commission parlementaire, malgré ses fouilles et ses révélations, négligea un facteur important dont on n'a pas encore évalué les implications. D'après plusieurs responsables fédéraux démoralisés, on avait élaboré en 1977 une solution aux émissions polluantes de l'Inco de même que l'ébauche d'un plan d'action canado-américain contre les pluies acides, mais on les tenait secrets [7]. La clé de la solution se trouvait dans le sous-sol de la municipalité de Cargill, une étendue désolée située à 23 milles au sud-ouest de Kapuskasing, dans le nord de l'Ontario. À quelques pouces de la surface, ce site recèle le dépôt de

7. « Plan to Dry up Acid Rain : Sell Smog », *Toronto Star*, 16 février 1980.

phosphate le plus important de la province, un dépôt de plus de 62,5 millions de tonnes selon les études effectuées par le gouvernement ontarien au début des années 70. Le phosphate peut être transformé en engrais commercial en lui ajoutant un ingrédient essentiel : l'acide sulfurique. La cheminée géante de l'Inco, source incontrôlée d'énormes quantités d'acide sulfurique, se trouve à Sudbury, à cent cinq milles au sud du phosphate inexploité de Cargill.

Dès 1930, l'Inco capturait grâce à des aménagements restreints une partie des gaz de dioxyde de soufre qu'elle transformait en acide sulfurique dont la mise en marché était assumée par la CIL. En 1967, l'Inco et la CIL produisaient 1 400 tonnes d'acide sulfurique par jour, constituant l'entreprise du genre la plus importante de la planète, et la CIL expédiait l'acide par wagons entiers à travers l'Amérique du Nord où on l'utilisait aussi bien pour fabriquer du caoutchouc qu'en médecine. L'Inco se débarrassait ainsi de ses agents polluants au profit de la CIL qui les revendait. Elle n'en tirait qu'un profit minime mais au début des années 70, la CIL ne parvenait plus à trouver de nouveaux marchés susceptibles de justifier une production accrue d'acide et l'Inco condamna une usine de 20 millions de dollars capable d'en produire 2 300 tonnes par jour. Le processus de traitement fonctionnait pourtant, malgré ses limites. Mais ainsi que devait le soutenir l'Inco devant le ministère de l'environnement ontarien en 1975, la production de davantage d'acide sulfurique nécessiterait une très coûteuse reconstruction de la fonderie de Sudbury et, pire encore, il n'existait pas de débouchés pour l'acide. Lors des audiences de la commission parlementaire, les responsables de l'Inco soulignèrent que la compagnie se trouverait aux prises avec d'importantes quantités d'acide invendable si elle était forcée de dépenser des millions (qui devaient se transformer en 1 milliard) de dollars pour réduire ses émissions de façon draconienne. Le ministre ontarien de l'environnement, Harry Parrott, fit miroiter aux yeux du parlement le spectre de lacs d'acide sulfurique dans la région de Sudbury le 6 novembre 1979. « Ceux qui exigent la suppression de l'acide sulfurique des émissions de la cheminée géante de l'Inco raisonnent de façon simpliste, dit-il. Nous ne comprenons toujours pas les problèmes. » Et le vice-président de l'Inco, Stuart Warner, devait répéter : « Nous avons déjà trop d'acide. Le marché est limité. »

Mais la compagnie qui possède les dépôts de phosphate de la municipalité de Cargill se plaint pour sa part de ne pouvoir obtenir de quantités suffisantes d'acide sulfurique pour rendre profitable le processus de transformation du phosphate en fertilisants. « Nous avons approché tous les producteurs d'acide y compris l'Inco », devait affirmer au cours d'une entrevue vers la fin de 1979 Frank Piper, le secrétaire de la Sherritt-Gordon Ltd. Pour produire des fertilisants dans un site isolé à des prix concurrentiels, la compagnie avait besoin d'acide sulfurique à bas prix, « presque gratuit », et elle n'avait pu en obtenir. D'après Piper, le développement du phosphate de Cargill était compromis. Pourtant, au cours d'une autre entrevue, Warner, le vice-président de l'Inco, discutant de la technologie dont l'Inco se servirait éventuellement pour réduire ses émissions, avait lancé : « Nous devrons probablement y parvenir en produisant de l'acide sulfurique. Nous en produirons tellement que nous devrons peut-être le donner. » (À l'époque, l'Inco ne faisait face à aucune date limite pour une réduction subtantielle.) Warner devait aussi soutenir qu'il n'existait aucun marché pour l'acide sulfurique. « La majeure partie sert aux fertilisants à base de phosphate, dit-il. Le phosphate se trouve surtout aux États-Unis et en Afrique. » Il ne mentionna pas la municiplaité de Cargill et ses 62 millions de tonnes de phosphate à 105 milles au nord de Sudbury.

À Ottawa, pourtant, des responsbles fédéraux du ministère de l'Énergie, des mines et des ressources avaient recommandé à plusieurs reprises une fusion du potentiel en acide de l'Inco et du phosphate de Cargill. Leurs rapports demeuraient enterrés à l'instar du phosphate, même s'ils comportaient des données susceptibles d'étayer une politique canadienne de réduction des émissions. Rédigés sous la direction de Gary Pearse, alors l'expert du ministère en matière de produits à base de soufre, ces rapports soulignaient que la demande mondiale en soufre changeait de façon draconnienne. En 1975 et en 1976, le soufre avait inondé le marché, se vendant pour aussi peu que 5 dollars la tonne dans les usines de gaz naturel de l'ouest canadien où l'on en épurait automatiquement le gaz et où on l'empilait dans les prairies. Mais dès 1977, on pouvait prévoir une augmentation de la demande. L'équipe de chercheurs de Pearse recommanda, avec une clairvoyance et une conscience remarquables au sujet des pluies acides, que le Canada et les Etats-Unis procèdent à une entente conjointe : le soufre et son acide qui serviraient dans les industries de l'est de l'Amérique du Nord ne devraient provenir que des appareils de contrôle de la pollution aérienne qui les captureraient dans les fonderies et même dans les centrales énergétiques alimentées au charbon, dont ils constitueraient ainsi un sous-produit. Des sources telles que le gaz naturel de l'Ouest ou les mines de soufre brut de la Louisiane devraient écouler leurs produits à l'étranger de façon à satisfaire à la demande mondiale. Cette opération nécessiterait une fixation des marchés et de la distribution à l'échelle continentale, mais n'avait rien d'impossible si elle était appuyée par des initiatives politiques suffisantes [8].

La réponse à cette proposition de stratégie nationale de mise en marché du soufre fut « démoralisante », devait affirmer Pearse au cours d'une entrevue vers la fin de 1979. « Nous avons fait parvenir notre proposition aux Affaires extérieures comme base de négociation possible avec les Américains, dit un autre membre de l'équipe, et ils l'ont rejetée. Le ministère fédéral de l'Environnement nous a par ailleurs mis davantage de bâtons dans les roues. Son manque d'intérêt nous a tout simplement consternés. » Ceci se passait en 1977 lorsque le Canada commençait à marchander avec Washington au sujet des émissions de la centrale énergétique d'Atikokan alors que Len Marchand, l'homme pour qui les pluies acides n'existaient pas, occupait le poste de ministre fédéral de l'Environnement. Les stratèges du soufre firent néanmoins circuler leur rapport sur une grande échelle à Ottawa et au gouvernement ontarien et, selon Pearse, l'Inco elle-même en acquit un exemplaire. Le rapport ne fut jamais discuté publiquement. Deux ans plus tard, vers la fin de 1979, le prix du soufre atteignait 7 fois celui que pratiquaient les producteurs de gaz albertains en 1975 et ceux-ci capturaient de moins en moins de soufre grâce à un gaz « plus propre » tout en voyant leurs réserves diminuer. Sur le marché mondial, le soufre atteignait 105 dollars la tonne. L'un des principaux fournisseurs à l'échelle mondiale, l'Iran, se voyait écarté du marché ; l'Union

8. Mineral Policy Sector, Energy, Mines and Resources Canada, *A National Sulphur Strategy*, rapport préparé par G.H.K. Pearse, Third Draft, 24 octobre 1979.

soviétique signait des ententes à long terme qui témoignaient de ses besoins internes de plus en plus importants ; et les mines de soufre de Louisiane s'effondraient lentement sous le poids insupportable des coûts de l'énergie nécessaire à son extraction. Une étude du gouvernement fédéral prédit en juin 1979 une escalade massive de la demande en soufre, en acide et en fertilisants de phosphate soufré [9]. Les pays asiatiques, africains et sud-américains, affamés, ne parvenaient pas à obtenir suffisamment de fertilisants et en manqueraient désespérément avant cinq ans, d'après une version mise à jour de la stratégie en 1979. « Le Canada pourrait dès maintenant vendre 3 millions de tonnes de soufre supplémentaires à l'étranger, devait affirmer Pearse vers la fin de 1979. D'ici deux ans, il y aura pénurie de fertilisants à base de soufre dans le monde. »

Selon Pearse, il ne pouvait comprendre exactement pourquoi les rapports stratégiques avaient été tenus cachés en 1977 à moins que ceci ne soit dû aux conclusions selon lesquelles le gouvernement fédéral devrait agir d'une façon audacieuse en fixant les marchés et les prix plutôt que de s'en tenir à la menace d'une réglementation sur la propreté de l'air. Cette action dépendait de plus de l'assentiment américain. Un autre membre de l'équipe affirma que l'Inco avait rejeté cette idée parce qu'« aux yeux de l'Inco, la production d'acide ne constitue qu'un investissement dont elle ne tirera pas profit plutôt que le prix à payer pour réduire la pollution. Il en coûte moins cher à l'Inco de ne pas agir tout en rejetant le plus longtemps possible la responsabilité des pluies acides. » Un troisième membre de l'équipe, tout en soulignant que la stratégie laissait entendre que des prêts du gouvernement à l'Inco seraient peut-être nécessaires pour inciter la compagnie à réduire ses émissions et à produire le sous-produit essentiel à une industrie canadienne des fertilisants en pleine expansion et au marché mondial du soufre, ajouta : « Du point de vue étroit d'une compagnie, les profits ne seront sans doute pas importants, mais si nous sommes sérieux au sujet des pluies acides, notre stratégie constituait la solution la moins coûteuse pour le Canada. »

Le ministre fédéral de l'Environnement, John Fraser, affirma en septembre 1979 qu'il ne connaissait pas l'existence des

9. ENERGY MINES AND RESOURCES CANADA, *A Marketing Study for Byproduct Sulphuric Acid*, Rapport préparé par la British Sulphur Corporation, 1979.

rapports stratégiques. Le vice-président de l'Inco, Stuart Warner, abonda dans le même sens. Et les responsables du ministère fédéral de l'Environnement affirmèrent que les rapports n'y avaient jamais circulé. Tôt en 1980, après la publication par le *Toronto Star* des données de la stratégie, les responsables fédéraux reconnurent qu'on était à dépoussiérer celle-ci et qu'on procéderait à une révision dont serait retranchée la recommandation de prêts du gouvernement à l'Inco. « Nous nous apprêtons à l'exposer aux feux de l'actualité. La mise en marché du soufre jouera sans doute un rôle crucial dans le contrôle des pluies acides. » La stratégie fut rendue publique sans modification ni révision quelques semaines plus tard, ce qui n'avait plus guère d'importance aux yeux de John Pearse qui venait de démissionner : « Notre moral est très bas. Il y a dans cette affaire trop d'intérêts dissimulés. » Les autres membres importants de l'équipe stratégique avaient déjà été transférés ailleurs.

En avril 1980, John Roberts, le nouveau ministre fédéral de l'Environnement, commença à parler de « nouvelles » études fédérales qui, selon lui, démontraient que l'Inco était en mesure de réduire ses émissions de 50 pour cent ou davantage. L'une de ces études comprenait une description de la technologie de production d'acide sulfurique pour les fertilisants à base de phosphate, de phosphate « local »[10]. Le phosphate local se trouve sous le sol de la municipalité de Cargill et la solution choisie pour disposer en toute sécurité des émissions génératrices de pluies acides de l'Inco en tiendra presque certainement compte quelque soit le moment où on l'adoptera. L'Inco n'ignore pas quel sera ce moment. Elle a planifié la mise au point d'un nouveau processus d'extraction capable de produire des émissions beaucoup plus propres et de grandes quantités d'acide sulfurique[11]. Ce processus très dispendieux coûtera peut-être 1 milliard de dollars et nécessitera l'aide gouvernementale, aux dires de l'Inco, pour ouvrir de nouveaux marchés. Plusieurs années d'ajustements et d'installations seront requises. N'ayant à faire face à aucune date limite rigoureusement appliquée pour réduire sa pollution, l'Inco seule en connaît le nombre.

---

10. DIRECTION DU CONTRÔLE DE LA POLLUTION AÉRIENNE, Environnement Canada, *Preliminary Assessment of Feasible SO$_2$ Emission Reductions*, Ottawa, 1980.

11. *Globe and Mail*, 9 février 1980.

# 8

# La filière Ottawa

Les Américains portèrent le premier coup en transformant les pluies acides en question internationale par un résolution du Sénat des États-Unis en mai 1979 sur les émissions d'Atikokan. Ils protestaient contre une source ontarienne unique et spécifique, mais l'Ontario et le gouvernement canadien ne possédaient pas de liste précise de centrales énergétiques américaines contre lesquelles se plaindre. Les données des échanges trans-frontières du dioxyde de soufre étaient alors pour la plupart inconnues, mais l'attaque contre Atikokan plaça l'Ontario sur la défensive. La province, frustrée et se sentant dupée, se retira des discussions internationales sur Atikokan pour repenser sa thèse, bien que toujours inflexiblement déterminée à ne pas bouger le moindrement. Le délai accordé à l'Inco pour réduire sa pollution rejeta Atikokan dans l'ombre en juillet 1978. Mais dès son premier communiqué de presse justifiant sa prise de position face à l'Inco, le ministère ontarien de l'Environnement brossait à grands traits la politique à laquelle il s'en tiendrait rigoureusement durant près de deux ans : « Le déplacement du dioxyde de soufre au-dessus de la frontière... représente un facteur important du phénomène des précipitations acides... [Il s'agit] d'un problème global... le repérage de masses d'air qui parcourent des centaines de milles d'une région ou d'un pays à un

156

autre demeure complexe et souligne la nécessité de nouvelles études sur ce problème sérieux »[1]. Le ministère reconnut son incapacité à indiquer combien de pluies acides tombaient en tel lieu donné et encore plus quelles étaient leurs sources. Ceci découlait du moins en partie de ce qu'il avait au cours des deux années précédant 1978 consacré la presque totalité de son budget à étudier la cheminée géante de Sudbury. La nécessité de procéder à de nouvelles études avant de réglementer les sources allait devenir la pierre angulaire de la position ontarienne. Le docteur Stewart Warner, vice-président de l'Inco, permit d'entrevoir la réelle signification de cette politique du laisser-faire lorsqu'il affirma devant la commission parlementaire : « Nous croyons qu'il serait malaisé de prendre d'importantes mesures de régulation avant [qu'une évaluation scientifique détaillée] soit disponible. En agissant ainsi, l'Ontario y perdrait. » En langage clair, le fait de pousser trop fort trop tôt dans le dos de l'Inco risquerait de paralyser Sudbury.

Le directeur de l'environnement pour la région de Sudbury, McIntyre, affirma devant la commission qu'à moins d'imposer des réductions importantes aux États-Unis aussi, les pluies acides tomberaient sans discontinuer même si *toutes* les sources ontariennes du dioxyde de soufre se voyaient forcées d'arrêter leurs émissions. Lui non plus ne possédait pas les données capables d'étayer son affirmation, mais il faisait ressurgir un argument utilisé lors du débat autour d'Atikokan : la responsabilité incombait aux États-Unis. Depuis la débâcle d'Atikokan, cependant, une phraséologie plus sophistiquée avait fait son apparition. D'après les témoignages des responsables ontariens et fédéraux, il fallait que le Canada et les États-Unis parviennent à une entente internationale conjointe qui les forcerait à solutionner le problème, possiblement sur la base d'un calendrier de réductions ponctuelles des émissions des deux côtés de la frontière. L'entente internationale sur le nettoyage des Grands Lacs servit d'exemple. On en était déjà aux discussions préliminaires en vue d'un traité international grâce à la première protestation diplomatique américaine au sujet d'Atikokan. L'Ontario et le Canada avaient toujours à découvrir où

1. Ontario Ministry of the Environment, 31 juillet 1978.

précisément et à quel coût les pluies acides américaines tombaient en sol canadien. Le directeur régional d'Environnement Canada pour l'Ontario, Bob Slater, affirma devant la commission que « le traité pourrait être prêt en moins d'un an, et les régulations spécifiques qui le rendraient exécutoire en moins de trois. » En langage clair, les pluies acides commenceraient à être sous contrôle sur le continent en 1982. Les responsables du ministère ontarien de l'Environnement approuvèrent en hochant la tête.

Le premier spécialiste ontarien des pluies acides, Harold Harvey, souligna rapidement que, compte tenu du peu de financement et du peu de motivation des programmes de recherche tant ontariens que canadiens sur les pluies acides, un calendrier de cinq ans ou plus pour parvenir à un traité était plus réaliste. Le docteur Jim Kramer, de l'Université McMaster, recommanda que la chasse aux données désirées s'effectue par une sorte d'équipe conjointe Ontario-Ottawa pour plus d'efficacité. Des membres de la commission parlementaire se demandèrent à voix haute si l'Ontario ne devrait pas faire preuve de bonne volonté en agissant d'abord de façon significative, par exemple en imposant des contrôles plus stricts à l'Inco. Un chercheur du groupe de citoyens Pollution Probe, William Glenn, avertit que l'impasse à propos d'Atikokan se profilerait de nouveau dans les négociations internationales. Les États-Unis, sans tenir compte des émissions brutes de leurs propres sources, se défendraient en affirmant qu'ils avaient imposé des contrôles sévères à toutes leurs nouvelles sources tandis que l'Ontario avait reculé face à l'Inco.

La position ontarienne et canadienne se voyait toutefois limitée : on procéderait à des réductions domestiques dès que les Américains accepteraient par voie de négociations d'agir de même chez eux. Cette solution semblait éminemment juste pour des bons voisins dont la tradition en est une de coopération. On faisait à peine appel à cette tradition lorsqu'on en venait aux politiques de l'environnement et à l'argent qui devait leur être consacré. Le nettoyage des Grands Lacs, par exemple, avait pris quarante ans : le Canada avait continuellement pris l'initiative et attendu que les États-Unis suivent. Quelques jours à peine après la fin des audiences de la commission parlementaire, l'Ontario commença à raffiner son message. Au cours d'une causerie à la conférence annuelle des Anglers and Hunters, à London, Ontario, le 24 février, le représentant du ministre de l'Environnement, Graham Scott, aborda toutes les questions importantes. Les données du ministère montraient que 80 pour cent des pluies acides qui affectaient l'Ontario provenaient des États-Unis. Le ministère évaluait avec diligence les impacts. Mais, devait affirmer Scott, « bien que la recherche soit une composante essentielle de notre plan d'action, elle doit de même faire partie d'une action internationle positive. » Il dressa la liste des étapes importantes « auxquelles le gouvernement ontarien tient et qui comprennent : des réductions à l'échelle internationale, une action préventive et réparatrice, ainsi qu'une investigation scientifique ininterrompue, — notre besoin le plus urgent et le plus vital. » Scott qualifia « d'action réparatrice » le chaulage des lacs sans relever son taux douteux de réussite, et mentionna une lettre du premier ministre ontarien William Davis à son homologue fédéral Pierre Trudeau « soulignant l'urgence d'une solution au problème » et pressant le Canada de chercher le plus tôt possible à en venir à un accord international et à un échéancier.

La balle se retrouvait donc dans le camp d'Ottawa. En mai, un nouveau gouvernement Conservateur accéda de justesse au pouvoir à Ottawa et le ministre fédéral de l'Environnement, John Fraser, commença à courtiser la célébrité en s'en prenant aux pluies acides, au contraire de son prédécesseur libéral Len Marchand qui ne s'en préoccupait pas. La responsabilité de transformer la politique ontarienne usée en négociation d'un traité allait en définitive incomber à Fraser. En sa qualité de ministre fédéral, lui seul pouvait traiter directement avec l'étranger ; il reviendrait aux provinces de prendre leurs propres engagements envers Ottawa bien que Fraser ait refusé de dévoiler les promesses auxquelles les provinces, et particulièrement l'Ontario, s'étaient engagées. L'Agence américaine de protection de l'environnement publia au cours du même mois sa réglementation finale et obligatoire pour les nouvelles sources de pollution aérienne par dioxyde de soufre avec un battage de publicité considérable et des statistiques impressionnantes qui en justifiaient le coût et les bénéfices. Mais on ne faisait mention ni dans le volumineux rapport officiel, ni dans le communiqué de presse, ni dans les relevés de données, ni dans les annexes, des sources pré-existantes ou des actions à y entreprendre. Les groupes d'écologistes américains attaquèrent aussitôt les importants compromis auxquels on était parvenu en déterminant les normes définitives pour les nouvelles sources, mais en Ontario on continua de tenir le discours habituel sur l'optimisme agressif du tandem Canada–États-Unis contre les pluies acides lors des déjeuners des Rotary Club ou des réunions d'associations de vacanciers.

Le 9 juillet, la commission internationale conjointe, mieux connue depuis des années pour ses exhortations face à la lenteur du nettoyage des eaux polluées des Grands Lacs, se fit entendre par la voix de ses conseillers scientifiques selon qui les pluies acides endommageaient l'écosystème des Grands Lacs. Ceux-ci établirent le compte des lacs morts par acidification, des sols stérilisés, de la végétation endommagée, des niveaux probablement toxiques de métaux lourds dans l'eau potable dont les pluies acides étaient redevables ; citèrent des chiffres américains qui établissaient la responsabilité du dioxyde de soufre à 2 milliards de dollards en dommages à l'architecture et à 1,7 milliards de dommages à la santé ; et, ce qui n'était guère surprenant, recommandèrent de poursuivre les recherches. Ils soulignèrent en même temps qu'aucune loi ou traité, ni au Canada ni aux États-Unis, n'était en mesure de forcer avec quelque efficacité les deux pays à nettoyer leurs sources de pluies acides. « À en croire le passé », — c'est-à-dire le nettoyage des Grands Lacs, — « une décennie risque de s'écouler avant que quelque véritable réduction de la pollution soit imposée, » devait conclure froidement la commission.

Une semaine plus tard, le Président des États-Unis, Jimmy Carter, annonça son projet de 142 milliards de dollars destiné à sauver son pays de la crise énergétique. Ce projet comportait la conversion au charbon des centrales énergétiques alimentées à l'huile, la multiplication par deux du nombre des centrales énergétiques alimentées au charbon, et une expansion des centrales alimentées au charbon dans les États antérieurement propres de l'Ouest. Malgré les contrôles imposés aux nouvelles sources, la ruée énergétique augmenterait le nombre des émissions américaines de pluies acides, devaient reconnaître à Washington, peu après l'annonce du président Carter, les écologistes et les administrateurs assommés par la nouvelle. « Oui, reconnut l'un d'entre eux devant l'auteur de ce livre, cela peut signifier que nous ne solutionnerons pas le problème des pluies acides aussi rapidement ou aussi bien que possible. Je le regrette [2]. » Il ne fit aucune allusion aux sources déjà existantes.

En Ontario, le ministre de l'Environnement Parrott qualifia de « désastreux » le projet Carter. Celui-ci déverserait « de nouvelles inondations massives de pluies acides sur le Canada » si on le réalisait sans contrôler rigoureusement les nouvelles centrales alimentées au charbon. Parrott promit que l'Ontario ferait davantage pression en vue d'un accord international sur la réduction de la pollution de l'air et son homologue fédéral John Fraser s'empressa d'abonder dans le même sens. Parrott ajouta que « les industries ontariennes ne sont pas exemptes de responsabilité et prennent des mesures pour améliorer leur performance » bien que l'Inco, selon lui, ne pouvait être blâmée que pour 8 à 10 pour cent des pluies acides en Ontario. Il allait cependant rencontrer les gens de l'Inco moins de 10 jours plus tard et discuter avec eux d'un nouvel échéancier « sévère mais raisonnable [3]. »

Neuf jours plus tard, le 26 juillet, les pressions en vue d'un traité international sur les réductions semblèrent tout à coup porter fruit. Le ministre des Affaires extérieures, Flora MacDonald, annonça que le Canada et les États-Unis étaient parvenus à une entente sur le sujet et un communiqué conjoint fut publié. Mais une lecture attentive de la déclaration montrait qu'il s'agissait simplement d'une entente sur la nécessité d'un traité ainsi que de la promesse de nouvelles rencontres. La déclaration comprenait sept principes susceptibles de servir de base à un traité éventuel, dont l'accentuation de la recherche, l'amélioration des échanges d'informations scientifiques et une législation complémentaire. L'un des principes les plus importants, « l'élargissement des avertissements et des consultations sur des sujets impliquant le risque réel ou possible de pollution aérienne à travers la frontière », était ironiquement déjà battu en brèche par le discours du président Carter sur le charbon énergétique. Avant de l'annoncer, personne n'avait prévenu, et encore moins consulté, le Canada à propos du projet et de ses implications.

---

2. *Toronto Star*, 21 juillet 1979.

3. *Toronto Star*, 17 juillet 1979.

Le mois d'août arriva. Le ministre fédéral de l'Environnement, John Fraser, rentra à Ottawa de rencontres à Washington et à Toronto et déclara que les Américains avaient reconnu la nécessité d'un traité sur la pollution de l'air ; que l'Ontario avait accepté d'imposer les contrôles de pollution, quels qu'ils soient, prévus par un tel traité. Fraser avait en outre promis aux Américains qu'il forcerait les autres provinces canadiennes à mettre en vigueur des mesures similaires. Pour pallier à toute fausse interprétation, Harry Parrott s'empressa d'expédier une lettre aux journaux où il soulignait que « l'Ontario est prêt à agir conjointement avec le reste du Canada et les États américains »[4]. Il passa sous silence l'idée de faire le premier pas, soulignant que « la plus grande partie des pluies acides qui tombent sur Haliburton/Muskoka provient du sud » et ajouta qu'il était impossible de préciser où tombaient les pluies acides en provenance de l'Ontario. La politique du laisser-faire demeurait intacte.

À Washington, pendant ce temps, l'Ontario et le Canada subissaient le contrecoup de leur attentisme. « Il ne fait aucun doute que nous déversons davantage de pluies acides sur le Canada que le contraire, devait affirmer Konrad Klevens, responsable des relations canado-américaines de l'Agence de protection de l'environnement au cours d'une entrevue[5]. Mais il faut aussi que le Canada mette de l'ordre dans sa propre maison. Le Canada doit entreprendre une action réciproque si on s'attend à ce que les États-Unis nettoient leurs sources. Nous n'avons constaté aucune véritable activité à ce jour au nord de la frontière. »

La première évaluation scientifique conjointe canado-américaine, qui documentait les dommages causés aux lacs par les acides, confirmait la possibilité de dommages encourus par les forêts et les récoltes, et faisait état de dommages à la propriété tout en laissant filtrer un cri d'alarme devant la présence de métaux toxiques dans l'eau potable, parut le 15 octobre. Mais le rapport concluait aussi qu'environ la moitié des retombées de soufre sur le Canada provenait de sources canadiennes. Un chapitre particulièrement troublant, fourni par les

---

4. *Globe and Mail*, 18 août 1979.
5. *Toronto Star*, 16 octobre 1979.

Américains, évaluait au double de celles qui étaient poussées par les vents en provenance des États-Unis les retombées domestiques de composés de soufre dans le sud de l'Ontario et au Québec, soit en moyenne 105 000 tonnes par mois. Nullement ébranlé, Parrott affirma dès le lendemain devant le Parlement ontarien qu'il serait « injuste » d'endiguer ces sources canadiennes avant d'en venir à un accord international. Interrogé au sujet de l'Inco, il répondit : « Vous ne pouvez dire à une industrie "Vous vous attaquerez seule au problème" »[6]. Six jours plus tard, l'Inco y alla de sa propre intervention. « Nous ne pouvons ni rejeter ni accepter la responsabilité des pluies acides, affirma le docteur Stuart Warner, vice-président chargé des questions d'environnement de l'Inco... [elles] proviennent de tant de sources qu'il est presque impossible d'en attribuer les dommages à une seule d'entre elles[7]. »

La publication du rapport conjoint canado-américain provoqua enfin un afflux d'attention et de publicité sur les pluies acides. La période de questions se transforma en supplice chinois pour Parrott au Parlement ontarien où les critiques de l'opposition liaient sans relâche le gouvernement et l'Inco dans la même phrase et exigeaient de savoir pourquoi on n'agissait pas. Le 25 octobre, alors qu'il subissait encore une fois le feu nourri de la commission parlementaire sur le développement des ressources qui, huit mois plus tôt, avait procédé aux audiences portant sur les pluies acides, Parrott modifia brusquement sa position. L'Ontario était « prêt à agir seul et avant toute autre juridiction » contre les sources ontariennes de pluies acides. Et l'Inco, à Sudbury, serait sa première cible[8]. Il s'agissait là d'un virage étonnant qui semblait ébranler l'affirmation soutenue depuis près de cinq ans, tant en privé qu'en public, selon laquelle il n'était ni économiquement possible ni important que l'Inco procède à des réductions substantielles, surtout en l'absence d'une action parallèle par les Américains.

« Que se passe-t-il ? », demanda le leader de l'opposition libérale, Stuart Smith, devant le Parlement le lendemain en

6. *Globe and Mail*, 17 octobre 1979.

7. *Globe and Mail*, 22 octobre 1979.

8. *Globe and Mail*, 26 octobre 1977.

relevant la bifurcation apparemment soudaine des politiques de Parrott. Le premier ministre ontarien, William Davis, mit les points sur les i. L'approche de l'Ontario face aux pluies acides devait être « équilibrée. » Les pluies acides constituaient un phénomène nouveau et il était possible que les émissions de dioxyde de soufre soient moins importantes que les émissions d'oxyde d'azote (celles de l'Inco ne contenaient pas d'azote), selon le premier ministre, apparemment inconscient de ce que l'oxyde d'azote n'était responsable que de 30 pour cent des pluies acides en Amérique du Nord. Mais le premier ministre poursuivit. Si l'Inco se voyait seule forcée de réduire la pollution, cela signifierait des pertes d'emplois dans la région de Sudbury. « Je ne suis pas prêt à laisser le gouvernement créer un problème économique dans la ville de Sudbury, dit-il. Nous ne pouvons agir isolément. » Davis souligna les efforts de réduction de l'Inco — qu'il qualifia de substantiels — et qualifia d'irréaliste l'ordre servi en 1970 à l'Inco de réduire ses émissions à 750 tonnes par jour avant 1978, ordre qui avait été abrogé. « La technologie à cet effet n'est pas économiquement viable, » conclut-il[9]. En Ontario, le cabinet obéit à une solidarité rigide : aucun ministre ne s'oppose publiquement à une de ses décisions ou ne contredit son premier ministre. Le ministre ontarien de l'Environnement, Harry Parrott, n'ajouta pas le moindre mot.

Le 2 et le 3 novembre, plus de 800 personnes venues de tous les coins du continent s'entassèrent dans un hôtel de Toronto à l'occasion de la plus importante conférence populaire jamais organisée sur le sujet des pluies acides. Plusieurs d'entre elles eurent la confirmation de ce qu'elles savaient déjà au cours des sessions techniques consacrées à la mort des lacs, aux dommages possibles à la végétation, aux risques pour la santé et aux avertissements à propos d'une « catastrophe écologique ». Ainsi que devait l'affirmer devant les délégués Donald Chant, co-président de la conférence, vice-président de l'université de Toronto et opposant de longue date de la pollution, l'inquiétude des citoyens devant les pluies acides semblait être « très en avance sur celle des deux pays concernés. » Le ministre fédéral de l'Environnement, John Fraser, tenta d'arrondir les angles au cours de la première intervention politique de la conférence. Il

9. *Globe and Mail*, 27 octobre 1979.

promit que le problème demeurerait sa principale priorité et exposa par le menu les projets de recherche que son ministère avait amorcés. Il affirma que le problème des pluies acides était beaucoup trop grave pour attendre une certitude scientifique absolue et qu'il faudrait entreprendre une action basée sur les meilleures conclusions disponibles et les plus fouillées. Il avait trouvé les responsables américains « inquiets à juste titre » du problème et des réductions effectives devraient être imposées très bientôt, « d'ici à quelques années », même s'il en coûtait au Canada 500 millions de dollars par année durant 20 ans. Orateur expérimenté, Fraser souleva les délégués avec son discours mais après coup ceux-ci commencèrent à se demander, dans les corridors, ce qu'il avait effectivement promis.

Il était difficile de faire mieux et le ministre ontarien de l'Environnement, Harry Parrott laissa de côté une bonne part de l'intervention qu'il avait rédigée lorsqu'il s'adressa aux délégués le lendemain. Mais il s'en tient à sa ligne de pensée : « Nombreux sont ceux selon qui l'Ontario doit d'abord nettoyer ses propres sources avant de s'attendre à ce que les États-Unis agissent. Je ne suis pas d'accord. Nous devons nous engager tous deux à agir. Nous devons aussi savoir quelles sources affectent quelles régions et à quel point. Puis nous devons élaborer des programmes de réduction pratiques. » Ce vieux thème familier ne souleva personne.

Dans un discours que les fonctionnaires fédéraux déterrent encore lorsqu'on les accuse de perdre leur temps, le ministre fédéral de l'environnement Roméo LeBlanc annonça en juin 1977 que le Canada et les États-Unis « fabriquaient une bombe à retardement écologique » avec la pollution transfrontières de l'air. Son discours, devant un auditoire d'experts en pollution de l'air à Toronto, était étrangement clairvoyant pour 1977. Ses rédacteurs avaient senti le besoin d'entourer de guillemets les mots « pluies acides » en présentant le problème à un auditoire public. LeBlanc affirma que « la pollution aérienne est un problème politique de grande envergure. Nous n'avons pas le temps d'attendre que les recherches soient définitives avant d'entreprendre une action politique. » Mais au cours d'une entrevue, il devait souligner à maintes reprises la nécessité d'un accord pour que le Canada et les États-Unis agissent conjointement contre la pollution aérienne à longue distance. Il refusa d'indiquer si le Canada agirait seul en réduisant sa propre pollution aérienne [10]. LeBlanc avait peut-être lancé le premier avertissement fédéral en matière de pluies acides, mais il avait aussi mis au point une politique de réduction qui devait durer presque aussi longtemps que celle de l'Ontario : attendons que les Américains agissent.

En février 1977, la commission ontarienne sur le développement des ressources se penchait sur l'affaire Inco et, à Ottawa, le gouvernement fédéral était poussé à expliquer sa politique de réduction des pluies acides. Le ministre libéral de l'environnement de l'époque, Len Marchand, rappela au parlement fédéral des interventions antérieures qui « indiquaient que nous allions signer avec les États-Unis un traité sur la qualité de l'air. Mes responsables, de même que ceux de l'Ontario, ont rencontré les responsables américains. Nous agissons aussi vite que possible [11]. » Il s'agissait là d'une intervention typique de Marchand, à la fois parce que son contenu était mince et qu'elle répondait à une question posée directement à ce sujet. Contrairement à LeBlanc, Marchand parlait rarement des pluies acides si on ne le lui demandait pas. Marchand représentait le comté forestier de Kanloops-Caribou, sur la côte ouest, et s'était fait connaître davantage par son intérêt pour l'aménagement de l'environnement que pour sa protection. Au cours des audiences de la commission parlementaire ontarienne, les membres de la commission avaient pris à partie les responsables du ministère de Marchand à cause de leur silence au sujet des pluies acides. « Je m'excuse si nous paraissons trop calmes, répondit Bob Slater, le directeur régional d'Environnement Canada. Nous y voyons un problème d'une grande urgence et un souci national. » Il souligna la nécessité, eh oui ! d'études approfondies. Un traité américano-canadien pourrait être « prêt en moins d'un an, et les régulations spécifiques qui le rendraient exécutoire en moins de trois », affirma-t-il devant la commission en soulignant toutefois qu'il avait fallu 40 ans pour appliquer l'accord international sur le nettoyage des Grands-Lacs.

Harold Harvey, le scientifique de l'Université de Toronto qui avait perdu sa population expérimentale de poissons grâce aux

---

10. *Toronto Star*, 21 juin 1977.
11. Parlement du Canada, *Hansard*, 8 février 1979 : 3016.

pluies acides dans le parc Killarny en 1969 et qui depuis ce temps travaillait  de façon sporadique pour le gouvernement fédéral, était beaucouup moins optimiste et moins charitable. « À l'exception du Service de l'environnement atmosphérique [le service de météorologie fédéral qui évalue les pluies acides], quand vous parlez aux fédéraux vous n'obtenez rien en réponse qu'un profond soupir », devait-il affirmer avant de prédire qu'il faudrait au moins cinq ans avant d'en arriver à un traité effectif. Ainsi qu'il devait l'expliquer plus tard, le ministère fédéral avait consacré beaucoup moins d'attention aux pluies acides, comme ses propres scientifiques et ceux de l'extérieur le lui recommandaient depuis des années. À Ottawa, certains responsables fédéraux de l'environnement reconnurent qu'ils avaient tardé à prendre les pluies acides au sérieux. L'aile du ministère chargée de la protection de l'environnement avait vu ses fonds rognés maintes et maintes fois et le ministre lui-même jouait un rôle incertain ; on l'avait réorganisée, amalgamée et scindée quatre fois depuis six ans. Et il ne pouvait, même s'il le souhaitait, imposer aux provinces de contrôler les pollueurs aériens. « Nous croyons en la philosophie du contrôle à la source, expliqua le sous-ministre adjoint Ray Robinson. Les hautes cheminées sont inappropriées parce qu'elles ne font qu'étendre le problème. Mais les provinces, à l'instar des États-Unis pour les sources existantes, préfèrent légiférer sur des contrôles ambiants [12]. »

Ottawa ne pouvait à toutes fins utiles qu'étudier le problème et parler tant aux provinces qu'aux Américains. Marchand, le ministre de Robinson, revint à la charge : « En fait, nous avons été jusqu'à maintenant plutôt actifs. Un traité ne nous prendra pas cinq ans. Oui, j'imagine qu'entretemps le Canada subira quelques dommages mais je ne veux pas être alarmiste. Nous agissons rapidement [13]. » Mais à Ottawa, de même que dans les autres bureaucraties gouvernementales, les politiciens passent et les bureaucrates demeurent. L'élaboration des véritables politiques se fait à leur rythme. « Je suis conscient de la réalité, devait affirmer Robinson. Le pouvoir ne se trouve ni à Ottawa, ni à Toronto, mais à Washington. Notre seul atout est qu'ils

12. *Toronto Star*, 10 mars 1979, et entrevues personnelles.
13. *Ibid.*

subissent eux aussi les dommages causés par les pluies acides. S'ils attendent trop lontemps, ils détruiront leur propre environnement. »

En mai, John Fraser fut nommé titulaire de l'environnement lors de l'accession au pouvoir du parti conservateur. Fermement attaché à une politique de coopération ouverte avec les provinces, le nouveau gouvernement semblait peu enclin à inciter quiconque au Canada à s'attaquer à ses sources de pluies acides. Ancien avocat écologiste sur la côte ouest qui avait tenté de devenir chef du parti, Fraser était un homme ambitieux, déterminé à polir son image en vue d'une nouvelle et inévitable course à la chefferie. Il s'attaqua aux pluies acides dans ses discours, ses rencontres avec les provinces et les Américains, de même qu'en se rendant accessible aux média d'information. En juin, il avait enflammé l'esprit d'indépendance du Québec. Le ministre québécois de l'Environnement, Marcel Léger, se plaignit amèrement des critiques de Fraser sur les lenteurs de la province contre les pollueurs aériens — et le Québec en abritait un énorme : la fonderie de la Noranda Mines à Rouyn-Noranda.

Léger lança que « les autorités fédérales cherchent, sous prétexte d'un problème international, à s'immiscer davantage dans les champs de juridiction provinciale, ce qui est inacceptable aux yeux du Québec. Le problème deviendra politique, voire constitutionnel [14]. » À l'époque, le ministère de Léger entreprenait son premier programme de recherche important sur les pluies acides. La plainte de Léger à propos de l'intrusion fédérale constituait la première reconnaissance officielle par son gouvernement de l'existence d'un problème de pluies acides dans la province, peu importe à qui incombait la responsabilité d'en fermer les robinets. Plus à l'est, en Nouvelle-Écosse, le ministre de l'environnement Roger Bacon s'éveillait à peine au problème des pluies acides : « Nous sommes conscients de la situation et nous en sommes quelque peu préoccupés. Nous allons les étudier sur une base annuelle [15]. » Les études et les découvertes portant sur les saumons décimés par les acides avaient surtout été effectuées par les responsables fédéraux. Vers la fin de juin,

---

14. *La Presse*, 2 juin 1979.

15. *Halifax Chronicle-Herald*, 12 juillet 1979.

durant le sommet économique de Tokuo, le premier ministre Joe Clark réussit à plaider en faveur d'une action américaine auprès de leurs centrales énergétiques du nord-est alimentées au charbon. Au début de juillet, la commission internationale conjointe conclut qu'il faudrait peut-être 10 ans avant de ratifier un traité.

Fraser revint à la charge en promettant d'intensifier la pression internationale en vue de mettre un terme à «cette situation effroyable. Je suis convaincu que nous sommes suffisamment au courant de ce qui se passe pour aller de l'avant avec les politiques requises. La population ne se contentera pas de tolérer un gouvernement inactif [16].» Fraser refusa toutefois de laisser le Canada s'engager seul. Le lendemain, le président Carter annonçait sa politique d'utilisation massive du charbon et Fraser s'inquiétait à raison des intentions américaines : « Nous ne devons pas sacrifier l'environnement... Je ne peux croire qu'une administration américaine puisse de nos jours envisager sérieusement d'augmenter les dommages à l'environnement. Sur le plan politique, Carter devra en payer le prix s'il n'offre pas de garanties [17].» Ou, comme l'avait soutenu l'un des principaux membres du cabinet de Fraser quelques mois plus tôt seulement : «Heureusement pour les extrémistes de l'écologie américaine, lorsqu'on comptabilisera les dommages irréversibles, les États-Unis sauteront comme une poudrière.»

Au début du mois d'août, Fraser affirmait que les responsables américains lui avaient paru « très préoccupés » par les pluies acides : « Ils veulent un accord, nous voulons un accord. Le problème est de savoir comment mettre en place les mécanismes qui nous permettent d'y parvenir le plus rapidement possible. Nous sommes placés devant une échéance. Si les émissions se poursuivent, dans quinze à vingt ans quarante-huit mille lacs seront morts uniquement en Ontario.» Mais comme l'expliquait aussi Fraser, les États-Unis cherchaient déjà à gagner du terrain. Les Américains voulaient que le Canada s'engage fermement à s'aligner tant sur la réglementation pour les nouvelles sources que sur leur approche face aux sources existantes en imposant des contrôles rigoureux de l'air ambiant

16. *Ottawa Citizen*, 13 juillet 1979.

17. *Toronto Star*, 21 juillet 1979.

et des peines sévères pour toute violation de même qu'en insistant pour que soit utilisée la meilleure technologie possible. Ces réglementations n'existaient pas au Canada et une bonne partie n'avait toujours pas force de loi aux États-Unis. Ceux-ci voulaient que chaque province respecte ces standards et cette statégie, soit volontairement soit forcée par le fédéral[18].

John Fraser se trouvait aux prises avec un dilemme. Son gouvernement fédéral ne pouvait s'immiscer dans les juridictions provinciales sur l'environnement que lorsqu'une législation fédérale spécifique existait ou quand Ottawa agissait au nom de l'application d'un engagement fédéral envers une puissance étrangère. Ottawa n'avait pas le moindrement légiféré sur les pluies acides. Et avant de convaincre les Américains d'approuver un traité qui leur conférerait le pouvoir de s'immiscer dans un champ de juridiction provinciale, Fraser devait au préalable obtenir l'assentiment de celles-ci sur les actions à entreprendre. L'Ontario, pour ne mentionner que cette province, n'avait pas l'intention d'agir avant les Américains.

Sans tenir compte du tapage indépendantiste du Québec, Fraser parla de « transférer des pouvoirs provinciaux au gouvernement central. » Tout à fait conscient des prétentions de l'Inco sur les coûts, il laissa entendre que pour vaincre la résistance des corporations, il serait peut-être nécessaire d'avoir recours à des stimulants gouvernementaux sous forme de taxes ou de subsides. Mais les options qui s'offraient au fédéral n'étaient de toute évidence ni claires ni élaborées. Comme devait l'affirmer Fraser : « Je suis prêt à examiner tous les moyens, quels qu'ils soient, susceptibles de hâter l'installation des processus d'émission requis. Et quelles que soient mes réponses aujourd'hui, je ne veux pas exclure quelque approche particulière, nouvelle ou différente ou non-conventionnelle sur laquelle nous puissions faire porter notre attention... »[19]

Le personnel de Fraser, qui continuait à rencontrer ses contreparties américaines au cours de sessions occasionnelles ou informelles, transmettait à Fraser les doléances des Américains

18. *Globe and Mail*, 3 août 1979, et CTV National Television News, 9 août 1979.
19. CBC Radio, « The World at Six », 9 août 1979.

mais à l'en croire, il leur répondait « ne me parlez pas de difficultés ; allez de l'avant. » Au cours d'une longue entrevue apparemment sincère le 21 septembre à Ottawa [20], Fraser reconnut la difficulté qu'il y avait à convaincre les Américains d'en arriver bientôt à un traité « juste au moment où leur administration se met au neutre en attendant l'élection présidentielle. » Mais il parlait avec assurance d'une « explosion d'inquiétude nationale canadienne telle que les Américains n'en ont jamais connue si nous devons attendre une décennie avant de réduire les pluies acides. Les États-Unis ne peuvent se permettre d'avoir pour voisins des Canadiens hostiles. » Il affirma qu'il « comptait sur la coopération de l'Ontario et du Québec » qui, en mettant de l'avant des politiques de réduction, rendraient superflue l'intervention fédérale. Il fit enfin remarquer qu'une « action par le Canada d'abord était l'une des options possibles. Nous y avons pensé. Il est certain qu'en agissant d'abord le Canada ferait beaucoup pour étayer aux États-Unis notre argumentation sur l'importance du problème. »

Quelque part entre cette entrevue et un discours public devant l'Association pour le contrôle de la pollution de l'air, à Ottawa, le 25 septembre, John Fraser rejeta certaines options. Il fit l'éloge de l'esprit de collaboration du Canada et des États-Unis. Mais il passa outre aux phrases les plus importantes de son texte écrit : « Nos appels en vue du renforcement des contrôles américains tomberont dans l'oreille d'un sourd si nous ne commençons pas par faire notre propre ménage. Les lois américaines sur l'environnement ont été par le passé beaucoup plus sévères que les nôtres et nous devons nous assurer de ce que l'application des lois nécessaires et appropriées au Canada le soit tout autant de notre côté de la frontière. » Au cours d'une conférence de presse suivant son discours, Fraser clarifia sa position : le gouvernement fédéral n'imposerait pas de contrôles sévères de la pollution à moins de parvenir à faire bouger les États-Unis en même temps. « En ce moment, dit-il, ma statégie consiste à agir en même temps que les Américains [21]. » À l'époque, le gouvernement conservateur mettait de tout évidence

20. *Toronto Star*, 16 octobre 1979, et entrevue personnelle, 21 septembre 1979.
21. *Globe and Mail*, 26 septembre 1979.

l'accent sur sa politique de collaboration avec les provinces. Et Fraser avait commencé à s'en remettre à une équipe de conseillers formée de ministres de l'environnement de toutes les provinces canadiennes tant pour leurs conseils que pour leurs engagements à agir. Qui sait ce qu'ils lui ont conseillé ?

Le 16 octobre, le ministre ontarien de l'Environnement, Harry Parrott, lui donna la réplique : son gouvernement n'était pas prêt à agir contre les compagnies qui provoquaient des pluies acides en polluant l'air. Sa référence à l'Inco ressemblait de façon frappante à celle de Fraser lors de son discours du 25 septembre : « Vous ne pouvez dire à une industrie "Vous devez seule résoudre le problème" [22]. » Et le premier ministre William Davis remit Parrott dans le droit chemin 10 jours plus tard lorsque le ministre de l'Environnement proposa tout à coup que l'Ontario agisse de son propre chef : « Nous ne pouvons agir isolément », lança Davis. L'Ontario agirait « d'une façon mesurée » contre les pluies acides ; distinguer l'Inco ne ferait que causer des problèmes économiques à la compagnie et à ses travailleurs de Sudbury.

Au moment de la conférence populaire internationale de Toronto sur les pluies acides en novembre, Fraser avait raffiné sa statégie : le Canada passerait le premier à l'action contre ses pollueurs peut-être « d'ici un an ou deux ». Vraisemblablement, rien ne pourrait être entrepris de concert avec les États-Unis avant l'élection présidentielle. Et il fallait avoir recours à d'autres recherches, ce vieil air populaire, pour mettre le doigt sur les particularités des sources d'émission de pluies acides, des taux et des lieux des précipitations de même que du potentiel de la technologie de contrôle. Le 8 novembre, Fraser avait déjà formé un comité spécial composé des ministres de l'environnement de l'Ontario, du Québec et de la Nouvelle-Écosse pour l'aider à négocier le véritable traité. Il annonça qu'il faudrait au moins un an au Canada pour élaborer par le menu ce qu'il voulait y voir apparaître. « Je ne peux suivre la ligne dure à propos d'un échéancier pour imposer des contrôles avant de terminer le travail auquel nous allons nous attaquer durant les mois qui viennent, dit-il. Je ne suis pas suffisamment au

22. *Globe and Mail*, 17 octobre 1979.

courant. Mais pour ma part, je ne me traîne pas les pieds. Il y a
dix ans, la rhétorique de la bataille de l'environnement suffisait ;
nous nous battions contre ce que nous pouvions voir : l'huile
dans l'eau, la saleté dans l'eau et la fumée dans les airs. De nos
jours nous combattons des choses insidieuses et invisibles, dont
le public est de plus en plus conscient, telles que PCB, déchets
toxiques et pluies acides [23]. » Que dire des politiques odieuses ?

---

23. *Toronto Star*, 12 novembre 1979.

# 9

# Au sud de la frontière : les États-Unis d'abord ?

Lorsque le Secrétaire d'état américain, Cyrus Vance, se rendit discuter à Ottawa en novembre 1978 du pacte de l'automobile et d'économie internationale, il apportait aussi le mandat du Sénat d'inciter le Canada à discuter de ses centrales énergétiques d'Atikokan, en Ontario, et de Poplar River, en Saskatchewan. La protestation du Sénat résultait de bien davantage que de sénateurs du Minnesota et du Montana résolus à aiguillonner le Canada pour la publicité que cela leur rapportait chez eux. En 1977, la Chambre des représentants avait finalement mis un terme à son débat sur les amendements à apporter aux articles radicaux de la loi sur la propreté de l'air imposés d'abord en 1970. Les amendements de 1977 avaient été beaucoup plus amèrement contestés que la réglementation ambitieuse de 1970 et comportaient des provisions pour mettre au pas des douzaines d'États qui n'étaient pas parvenus à atteindre les niveaux requis de qualité de l'air.

Aux amendements s'étaient férocement opposés les services publics américains qui se plaignaient du coût de la technologie, et des États comme l'Ohio dont les mines de charbon, les aciéries et les centrales énergétiques profitaient davantage d'une extraction minière sans obstacle et de la consommation de quantités massives de charbon de peu de valeur. Des États comme le Minnesota et le Montana se voyaient désignés comme régions d'air propre et il ne leur était pas permis d'augmenter de façon significative leur pollution aérienne. Des émissions en provenance du Canada réduiraient d'autant leurs quelques « réserves ». Les émissions canadiennes poussées vers le sud empêcheraient en fait ces États d'attirer d'autres industries. Les amendements de 1977, proposés par un écologiste en apparence, Jimmy Carter, s'étaient transformés en loi tout en créant parmi les législateurs et les groupes de pression une impression tenace selon laquelle les États-Unis avaient effectivement approuvé des contrôles très sévères de la pollution aérienne. Le Minnesota et le Montana n'eurent aucune difficulté à faire approuver par le Sénat en 1978 la résolution qui exhortait le Canada à contrôler les sources qui semblaient compromettre l'esprit des amendements à la loi américaine sur la propreté de l'air.

Les amendements de 1977, pour orientés vers l'avenir qu'ils aient été, ne tenaient pas compte du problème immédiat le plus important. Il n'y était en effet pas fait mention de contrôles sévères pour les sources existantes et à moins d'une catastrophe, il faudrait attendre 1982 avant d'y pourvoir lors de la révision statuaire de la loi sur la propreté de l'air. Davantage encore qu'au Canada, il fallait porter aux yeux des législateurs et du public des témoignages recueillis depuis au moins cinq ans sur les pluies acides. Et certains intérêts comme les mines de charbn, l'insdustrie lourde et les services publics appartenant à des individus, terriblement puissants sur le plan politique, n'avaient pas le moindre intention qu'une telle urgence soit déclarée. Ils menacèrent de faire payer la note par les consommateurs en procédant à d'énormes hausses de tarifs s'ils étaient forcés de contrôler les sources déjà existantes. Pire encore, ils étaient capables d'intimider Jimmy Carter en lançant leurs troupes contre lui durant l'élection de 1980.

Aux prises avec une telle dissension interne, les négociateurs américains qui accompagnaient Cyrus Vance à Ottawa en novembre 1978 pouvaient difficilement manquer de souligner que le Canada ne faisait pas preuve de combativité contre les nouvelles sources de dioxyde de soufre tel qu'Atikokan. Les

Américains mentionnèrent aussi que les représentants fédéraux, seuls politiciens canadiens qu'ils pouvaient rencontrer, n'avaient pas le pouvoir d'imposer des contrôles aux nouvelles sources, ce qui relève des provinces au Canada. Dans leur réponse, les Canadiens ne relevèrent pas qu'il était absolument nécessaire d'imposer un contrôle plus sévère de la pollution de l'air aux États-Unis : à la fin de 1978, de grandes régions d'au moins 20 États dépassaient régulièrement les niveaux maximum obligatoires de dioxyde de soufre, et certains États se dérobaient à la réglementation. Au début de 1979, dans un effort pour convaincre certains États récalcitrants de nettoyer leur air, l'Agence de protection de l'environnement proposa tranquillement de permettre à environ 145 centrales énergétiques existantes d'élever leurs cheminées comme premier pas vers une réduction totale de leurs émissions. Comme le Conseil de défense des ressources naturelles s'empressa de le souligner, les hautes cheminées étaient visiblement la cause du transport à longue distance de la pollution aérienne et avaient été virtuellement interdites au début des années 70. Édifier de plus hautes cheminées signifierait davantage de pluies acides à longue distance. L'Agence de protection de l'environnement ne fit jamais de son idée une véritable proposition publique, bien qu'on en discute toujours dans les corridors de son quartier-général. Elle ne provoqua donc aucune réaction canadienne tout en demeurant un signe avant-coureur de l'abîme immense qui subsistait entre l'expression de l'inquiétude américaine et les actes.

Et pourtant, le ministre canadien de l'environnement, Len Marchand, assurait la Chambre des Communes en février 1979 que les discussions avec les Américains en vue d'une entente internationale sur la qualité de l'air allaient bon train. Son personnel abonda dans le même sens devant la commission parlementaire ontarienne : le traité pourrait être signé en moins d'un an et la réglementation, avoir force de loi en moins de trois ans. Cette réponse devait être souvent répétée par les politiciens canadiens en 1979 au cours d'enquêtes publiques sur les pluies acides et la vraisemblance de leur arrêt hâtif. En grande partie inconnue de la plupart des Canadiens, cette affirmation reposait sur une espoir canadien mal placé, un certain degré de duperie des deux côtés de la frontière, et un aveuglement très réel des Canadiens face aux réalités du pouvoir politique américain. La

176

Chambre des représentants des États-Unis fit la preuve de sa viligance et de son inquiétude face aux pluies acides en avril 1979 lorsqu'elle refusa d'accorder à l'Agence de protection de l'environnement les 3 millions de dollars de fonds de recherches sur les pluies acides que celle-ci réclamait.

L'administration Carter rendit public tôt en mai son second plan énergétique national, une promesse politique à long terme sur la disponibilité énergétique des États-Unis. Il s'appuyait sur le charbon dont la production et l'utilisation seraient doublées avant l'an 2000. Mais les émissions de dioxyde de soufre demeureraient constantes grâce aux contrôles rigoureux des nouvelles sources imposés en 1977 et qui devaient recevoir leur approbation finale bientôt, comme le promettait le plan. Celui-ci mentait. Le 25 mai, un administrateur de l'Agence de protection de l'environnement, Doug Costle, annonça ces contrôles obligatoires et définitifs pour les nouvelles sources. Bien que plus sévères que la réglementation en vigueur, ces nouveaux contrôles n'imposaient pas ce qui était possible grâce aux nouvelles technologies de réduction. L'addition des émissions de sources existantes non contrôlées, dont 75 pour cent seraient toujours en état de fonctionner en 1995, et de celles provenant de nouvelles centrales contrôlées sévèrement-mais-non-complètement montrait que la pollution par le dioxyde de soufre aux États-Unis *augmenterait* de 2 millions de tonnes pour atteindre plus de 20 millions de tonnes par année en 1995. Cette démission survenait après des semaines de ce qu'un journaliste devait qualifier de « tordage de bras »[1] par des sénateurs comme Robert Byrd, de la Virginie de l'Ouest, et Wendell Ford, du Kentucky, qui refusaient d'appuyer le traité Carter sur la limitation des armes stratégiques et son projet de taxe sur les profits des sociétés pétrolières s'il imposait au charbon des contrôles de pollution sévères. Les démocrates Byrd et Ford venaient d'États où le charbon était important et dont l'association américaine du charbon affirmait qu'ils perdraient jusqu'à 85 pour cent de leurs marchés s'ils se voyaient imposer des contrôles. Le charbon plus propre de l'ouest leur enlèverait leurs marchés, d'après le lobby du charbon. « Doug Costle fait partie de l'administration, expliqua

---

1. *Washington Post*, 4 mai 1979.

un responsable gouvernemental, et il ne veut pas compromettre les autres objectifs de l'administration. » Costle céda sur la sévérité des contrôles pour les nouvelles sources, Carter obtint ses appuis, et les États-Unis y gagnèrent davantage de pluies acides. Il est intéressant de constater que le même mois une importante étude du bureau de l'évaluation technologique de la Chambre des représentants, intitulée *The Direct Use of Coal*, arrivait à la conclusion qu'avec des contrôles très rigoureux, les systèmes d'épurateurs virtuellement à toute épreuve pouvaient traiter le charbon même le plus sale. Cette technologie augmenterait le coût du charbon, mais elle était efficace. Aucun État ne verrait sa production de charbon diminuée si les services publics acceptaient de l'appliquer, d'en supporter et d'en partager les coûts. Le rapport arriva trop tard et n'eut droit qu'à peu de publicité. Le tordage de bras avait déjà prévalu.

La commission internationale conjointe publia le 10 juillet son rapport annuel qui prévoyait une augmentation des pluies acides à moins de procéder sur le champ à « une action rapide, décisive et générale. » La commission ajoutait que le principal empêchement à une implantation rapide des mesures de contrôle n'était pas de nature technique, mais « économique et politique. » À Ottawa, John Fraser promit que son gouvernement agirait « rapidement » contre les pluies acides, y compris en parvenant à un accord Canada-États-Unis sur la pollution de l'air. Le 15 juillet, Jimmy Carter affirma que l'énergie constituait sa principale priorité économique et politique dans son message à la nation après quelques jours de réclusion à Camp David. Il exigea un plafonnement des importations d'huile. L'usage de l'huile pour l'alimentation des centrales électriques serait réduit de 50 pour cent et remplacé par le charbon, qui servirait de même aux carburants synthétiques prévus par un programme d'urgence de 88 milliards de dollars. La « guerre de l'énergie » coûterait au total 142 milliards de dollars, et porterait entre autres sur la conservation de l'énergie, le financement du transport en commun et des taxes spéciales sur les profits de l'huile, mais exigeait certains sacrifices de la part des Américains et Carter promit qu'elle pouvait être et serait menée à terme.

Les détails de cet éventuel accomplissement demeuraient cependant vagues, mais les écologistes, l'Agence américaine de protection de l'environnement et le Canada s'empressèrent d'évaluer le genre de sacrifices auxquels Carter pensait[2]. La conversion au charbon des centrales énergétiques alimentées à l'huile, l'expansion au-delà même de ce que prévoyait le second plan énergétique de mai 1979 des centrales alimentées au charbon, l'extraction du charbon dans les états carbonifères tant de l'est que de l'ouest, l'extraction de l'huile des schistes bitumineux de l'ouest et même les usines qui produisaient des gaz et de l'alcool en transformant des végétaux en carburants synthétiques laissaient présager une augmentation difficile à mesurer des émissions de dioxyde de soufre (et d'anhydride carbonique) aux États-Unis. Les excavations auraient la taille du Grand Canyon, la consommation de charbon serait supérieure à ce que les États-Unis pouvaient possiblement produire durant plusieurs années, et on devrait assécher des rivières aussi importantes que la Colorado pour alimenter les canalisations boueuses ainsi que les producteurs de charbon et de schistes qui dépendaient de la vapeur. Dans les mots d'un analyste des politiques énergétiques : « Vous pouvez faire avec le charbon tout ce que vous faites avec l'huile, mais en pire... Le problème de la pollution de l'air et de l'eau prime tous les désavantages (les coûts et la technologie) ». La déclaration de Carter ne consacrait au problème que cinq mots : « Nous allons protéger notre environnement. » Mais il ne dit pas comment.

Comme devait le reconnaître avec réticence un porte-parole de l'Agence de protection de l'environnement en réaction à la déclaration de Carter : « Cela signifie peut-être que nous ne résoudrons pas le problème des pluies acides aussi rapidement et aussi bien que nous le pouvons. Oui, les pluies acides augmenteront. (L'Agence de protection de l'environnement ne fut à toutes fins utiles pas impliquée dans l'élaboration du plan Carter et ne fut pas prévenue à l'avance de son dévoilement. Le plan fut élaboré lors de rencontres avec des capitaines d'industries, des leaders religieux et des Démocrates convoqués à la retraite de Carter au sommet de la montagne où se trouvait Camp David.) Cette déclaration constituait l'énoncé le plus important de Carter à la nation depuis son accession à la présidence et, à cette époque florissante d'avant la crise iranienne, l'inflation galopante et le déclin industriel, on la perçut comme la pierre angulaire de son programme pour l'élection de 1980. À Ottawa, les respon-

---

2. Voir « Can we afford U.S. Energy Plan », *Toronto Star*, 21 juillet 1979.

sables canadiens de l'environnement firent connaître leur consternation : « Ça ne nous facilitera pas la tâche [l'accord sur la pollution de l'air] ». Le ministre ontarien de l'Environnement lança que le programme énergétique américain pourrait signifier « de nouveaux déluges de pluies acides en Ontario » s'il était mis à exécution sans contrôles rigoureux. Même le ministre canadien de l'Environnement, John Fraser, reconnut que Carter devait offrir certaines « garanties » de vigilance écologique. Mais Fraser devait lui aussi faire face à des engagements importants : le Canada et les États-Unis étaient sur le point de signer une entente diplomatique préparatoire à un traité de grande enver- gure pour combattre les pluies acides ; il affirma qu'aucune administration américaine ne sacrifierait l'environnement. Il reprocha plutôt à ses responsables leur pessimisme et souligna que le Canada agissait rapidement contre les pluies acides.

Au début d'août, l'entente par laquelle on reconnaissait la nécessité d'un traité tout en promettant de nouvelles rencontres fut joyeusement signée ; dans son message annuel sur l'environ- nement, Carter avait déclaré que les pluies acides représentaient une grave menace mondiale, et promis de consacrer annuel- lement 10 millions de dollars au cours de la décennie suivante à leur étude ; et John Fraser était rentré de sa première visite à Washington après avoir été « chaleureusement reçu par les très préoccupés » administrateurs américains de l'intérieur et de l'environnement, Cecil Andrus et Doug Costle. Selon Fraser, ceux-ci, à l'instar du Canada, souhaitaient qu'un traité de grande envergure contre les pluies acides soit signé rapidement. Mais derrière les manifestations publiques se profilaient les sessions privées de discussions obstinées. Fraser s'était vu forcé de compromettre Ottawa dans un programme de réductions effectives, même si cela signifiait l'imposition d'une réglemen- tation fédérale aux provinces récalcitrantes. « Les Canadiens sont responsables d'une bonne part du problème », reconnut Fraser, et il était nécessaire que leur réglementation de la pollution de l'air se rapproche davantage de celle des Américains. Mais il demeurait confiant : « On m'a fait clairement comprendre que Carter n'avait pas l'intention d'abandonner sa préoccupation pour l'environnement », annonça-t-il à Washington avant de rentrer [3].

3. *Washington Post*, 13 août 1979.

Une telle assurance servit peut-être à asseoir davantage la réputation de dur négociateur écologiste de Fraser au Canada, tout en renforçant les pressions qu'il exerçait pour obtenir l'engagement qu'on agirait contre des sources ontariennes telles que l'Inco, mais en réalité il avait été, dans le meilleur cas, abusé. Comme le reconnaissaient facilement les législateurs, les responsables gouvernementaux, les groupes écologistes et les observateurs canadiens à Wahsington, la bataille des pluies acides allait de mal en pis aux États-Unis. En grande partie oubliées dans le combat énergétique de Carter, les pluies acides étaient inconnues de la plupart des législateurs et citoyens et plusieurs administrateurs américains attendaient du Canada qu'il prenne une initiative visible dont ils s'inspireraient. Ces réalités apparurent plus clairement aux Canadiens durant les derniers mois de 1979, mais l'Ontario d'abord puis Ottawa les ignorèrent en reculant devant toute ouverture qui leur ferait modifier leurs propres règles du jeu.

Nul ne peut davantage que les Américains les mieux informés expliquer les intérêts réels des États-Unis dans les pluies acides et dans le combat contre celles-ci [4]. Ainsi que devait l'expliquer en septembre 1979, en faisant référence aux chances de parvenir à un traité international, l'un des principaux assistants du sénateur démocrate Edmund Muskie, devenu entretemps Secrétaire d'État : « Les pluies acides vont empirer. Ne vous attendez pas à des initiatives importantes dans un proche avenir. Aux États-Unis, il faut plutôt former un cercle avec nos chariots et protéger la législation actuelle. » Celle-ci comportait les contrôles édulcorés imposés aux nouvelles sources au début de 1979 après deux ans de promesses publiques et de tractations dans les coulisses. Si elle voulait aller de l'avant en imposant des contrôles aux sources existantes, l'Agence de protection de l'environnement devrait être investie de nouveaux pouvoirs législatifs. « La plupart des services publics ne veulent pas s'équiper après coup d'épurateurs, poursuivit l'assistant. Et la plupart des études sont biaisées à l'encontre des épurateurs. Pourtant, nous ne pouvons contrôler les pluies acides sans une nouvelle législation [qui les imposerait]. Mais de nos jours les réglementations ne reçoivent pas beaucoup d'appui. Les projets de loi qui sont soumis à la

---

4. *Toronto Star*, 16 octobre 1979, et entrevues personnelles.

Chambre des représentants contiennent des implications de déréglementation étonnantes.» L'un de ces projets de loi découlait de la politique de Carter en faveur du charbon et prévoyait la mise sur pied d'un bureau de mobilisation énergétique qui aurait le pouvoir d'outrepasser la soi-disant bureaucratie et les pertes de temps causées par les évaluations de l'environnement. «En ce moment, la Chambre des représentants n'agit qu'en réponse à des pressions de l'extérieur, devait affirmer l'assistant sans illusions ; ces exigences proviennent des intérêts dans les pipelines, l'énergie et autres.» Peut-être des réductions pour les sources existantes pourraient-elles être proposées après 1981 lorsque la loi sur la propreté de l'air sera obligatoirement revisée et peut-être améliorée par la Chambre des représentants, «mais je n'entrevois rien avant un an ou deux.» À l'instar d'autres vétérans du Capitol, il souleva la possibilité tout aussi réelle que toute tentative pour renforcer la loi puisse avoir pour effet de l'émasculer en la soumettant au système complexe de compromis et d'intrigues de la Chambre des représentants de même qu'à l'obsession nationale en faveur d'une énergie à bon marché.

Presque au même moment, quelques coins de rue plus loin à Washington, le représentant Toby Moffet du Connecticut, président du sous-comité de l'environnement, de l'énergie et des ressources naturelles de la Chambre des représentants, decrivait ainsi la situation aux États-Unis :

Une partie de l'opinion est préoccupée par toutes les sources importantes de pollution, y compris celles de l'extérieur de nos frontières, et aimerait que les nations, en particulier le Canada et les États-Unis, parviennent à une plus grande collaboration pour tenter de les endiguer. En même temps, un puissant groupe de pression dans notre pays tente de rogner nos progrès contre la pollution et de voir à ce que nous ne procédions pas de nouveau avec vigueur en termes de réglementations. Le rôle extraordinaire joué par ce groupe de pression lors du financement des campagnes électorales, son accès au public par le truchement de la publicité, de centaines de millions de dollars de publicité, — il est assez difficile d'agir contre ce genre de machine.

Moffett était pessimiste. Il ne voyait «rien venir de la Chambre des représentants en termes d'énoncés fermes. Aux yeux de plusieurs membres, il s'agit d'hypocrisie : si nous ne pouvons adopter le maintien de nos propres lois, comment pouvons-nous inciter les autres pays, même nos voisins, à le faire ? Je ne m'attends donc pas à des tractations [à la Chambre des représentants]. » Ainsi qu'il l'avait souligné plus tôt dans la journée au cours d'un témoignage devant la commission :

> Bien que l'administration de l'Agence de protection de l'environnement et le Président aient sans doute le cœur au bon endroit, le fait est que les intérêts favorables à l'environnement dans cette administration ne sont pas de taille face aux intérêts [énergétiques] et au conseil économique et aux cercles d'hommes d'affaires et aux comités d'action politique et à la mythologie selon laquelle l'inflation est causée par les réglementations gouvernementales... N'avons-nous pas une situation où les gens de l'Agence de protection de l'environnement examinent le problème en disant : « Nous n'avons pas les votes, nous n'avons pas le pouvoir, nous ne tenons pas les rênes du pouvoir à la Maison Blanche, nous n'avons pas les appuis nécessaires ? »... La partie se joue à sens unique, les intérêts puissants sur le plan économique tirent dans une direction et il ne s'exerce pas suffisamment de pression dans l'autre.

Le directeur du personnel du sous-comité du Sénat sur la pollution, Karl Braithwaite, voyait de façon tout aussi négative une modification des pressions qui s'exerçaient.

> Plusieurs sont conscients des pluies acides, ce qui est bien parce qu'il y a quelques années très peu l'étaient. Mais si l'on parle d'une conscience suffisante pour stimuler quelque action, nous n'en sommes pas encore là... Il y a un an, nous avons décidé que nous pourrions essayer avec ce sous-comité de procéder à des audiences sur les pluies acides quelque part au cours de l'année. Mais le bureau de mobilisation énergétique a désorganisé notre échéancier. Nous n'avons pu nous payer le luxe d'avoir du temps libre, mais il s'agit toujours de l'un de ces problèmes qui traînent dans les parages au sujet duquel nous aimerions procéder à des audiences d'ici un an ou deux de façon à le rendre familier aux membres.

De l'autre côté de la ville, dans la maison de rapport transformée en quartier général de l'Agence de protection de l'environnement qui dominait deux piscines vaseuses abandonnées, Doug Costle, l'administrateur de l'Agence, était presque aussi franc : « Le contrôle des sources existantes (de dioxyde de soufre) demeure la réponse aux pluies acides. Ce qui n'est pas le cas des hautes cheminées dont on parle. » Grand et costaud, Costle, qui porte des chemises défraîchies et dénoue sa cravate lorsqu'il rencontre des journalistes, — tout en leur empruntant des cigarettes qu'il fume à la chaîne, — a la réputation d'être le responsable américain de l'environnement le plus agressif et le plus efficace depuis sa nomination en 1977. Sous sa gouverne, l'Agence a entrepris une suite d'analyses économiques détaillées dans le but de démontrer les bénéfices pécuniaires d'un air et d'une eau propres, — dans le but aussi de désamorcer les plaintes des corporations au sujet des coûts inflationnistes, — et sauvé une bonne partie de sa réputation de plus importante agence de réglementation du pays tout en étant avilie et réprouvée tant par les industriels que par les écologistes. Et pourtant Costle affirmait qu'il était sans recours contre les pluies acides. « L'Agence ne peut pas aller dire à une centrale énergétique typique, alimentée au charbon et opérant depuis 14 ans en Ohio, d'installer des épurateurs, dit-il. La législation n'existe tout simplement pas. La Chambre des représentants nous a demandé d'établir des normes pour l'air ambiant en guise de contrôle du dioxyde de soufre et nous l'avons fait. Mais nous n'en connaissions pas assez long en 1971 et en 1977 pour établir des normes pour les sulfates [les pluies acides]. En ce moment, les États sont chacun responsables d'établir ces normes, » devait-il ajouter sans mentionner qu'aucun État ne l'avait fait.

« La plainte canadienne au sujet des pluies acides est fondée : nous continuons à leur expédier 4 millions de tonnes de dioxyde de soufre. Et si leurs renseignements sur environ 48 000 lacs agonisants sont fondés, — nous sommes à vérifier leurs données, — ils ont le droit de crier. À mon avis, les pluies acides domineront les relations canado-américaines et les amendements à la loi américaine sur la propreté de l'air en 1981, » dit-il sans donner la moindre indication des amendements qu'il voulait voir adopter ou des résultats qu'il entrevoyait. « Ce qui pourrait signifier que nous devrons équiper d'épurateurs les centrales existantes malgré les coûts », se contenta-t-il d'ajouter.

Le personnel de Costle ajouta quelques détails. « Les pluies acides continueront de tomber au moins jusqu'à la fin du siècle sur des régions de plus en plus vastes », devait affirmer David Tirpak, le responsable des pluies acides de l'Agence au cours d'une entrevue subséquente. Tirpak fit état de la preuve que les cultures étaient endommagées, — « une situation critique », dit-il, — de la futilité du chaulage des lacs et de l'impossibilité du chaulage des forêts. Il mentionna les dommages à la santé causés par les pluies acides. Il reconnut que les États-Unis avaient été lents à prendre conscience du problème et manquaient toujours de relevés adéquats ; reconnut l'absence d'une réglementation des sulfates contenus dans les pluies acides ; et admit que les Américains ne s'éveilleraient à la nécessité de contrôles accrus de la pollution que lorsqu'ils seraient confrontés avec une estimation raisonnable de ce que leur coûteraient les pluies acides. « Il faudra de trois à cinq ans avant d'obtenir une bonne analyse des coûts et bénéfices » qui contredirait les prétentions des industriels selon qui les coûts des réductions seraient beaucoup trop lourds à porter, devait affirmer Tirpak, en se plaignant du financement trop limité qui avait été accordé antérieurement aux recherches sur les pluies acides. Mais Tirpak, secondé par le responsable des relations canado-américaines de l'Agence, Konrad Kleveno, ne pouvait manquer l'occasion de viser aussi le Canada. « Nous sommes préoccupés par l'absence de contrôles au Canada sur les sources qui entrent en opération : Atikokan, Poplar River et la centrale de l'Hydro Ontario à Nanticoke dont les hautes cheminées soufflent la pollution directement vers la région de Buffalo que nous avons beaucoup travaillé à nettoyer. » Les deux responsables reconnurent que « le plan énergétique de Carter augmentera la quantité de dioxyde de soufre », mais ajoutèrent que « le Canada devait lui aussi mettre de l'ordre dans sa maison. »

Barbara Blum, l'assistante de Costle, politiquement très articulée, fut encore plus directe. À l'instar de Costle, elle parla en faveur de contrôles sévères sur les sources existantes mais souligna l'incapacité de l'Agence à les appliquer. « Nous ne faisons que commencer à comprendre à quel point le problème est sérieux. Oui, il est vrai que nous ne pouvons nous permettre d'attendre ; nous devrons peut-être retourner à la Chambre des représentants pour un accroissement de nos pouvoirs, mais j'ignore si nous pourrions exiger des États un programme qui imposerait un contrôle aux sources existantes. Il s'agit d'une situation très difficile à avaler. » Blum insista pourtant en affirmant que « les politiques de Carter n'ont pas changé. Nous augmenterons la consommation énergétique du charbon et nous le ferons en toute sécurité. » (Quelques jours plus tôt seulement, Blum avait assuré plusieurs heures durant un comité de la

Chambre des représentants que les réglementations écologiques ne retarderaient pas l'accroissement des ressources énergétiques des États-Unis.) « Vous, les Canadiens, avez un véritable problème chez vous, ajouta-t-elle finalement, avec la plus importante source de la planète [l'Inco]. Il semble que votre gouvernement fédéral devra obtenir le pouvoir de pousser les provinces à agir. »

Le 11 septembre, l'avocat de l'Environmental Defense Fund, l'une des organisations écologiques les plus importantes, les plus puissantes et les plus compétentes des États-Unis, Robert Rauch, avait précédé Barbara Blum en témoignant devant le sous-comité de l'énergie, de l'environnement et des ressources naturelles de la Chambre des représentants, présidé par Toby Moffett, du Connecticut. Le témoignage de Rauch fut écouté avec beaucoup d'attention par le comité, peut-être en partie parce qu'il était un ancien assistant de l'administrateur adjoint de l'Agence de protection de l'environnement. Rauch affirma qu'il était futile de n'imposer des contrôles qu'aux nouvelles sources lorsque les anciennes sources demeuraient intouchées : 90 pour cent du dioxyde de soufre émis par les centrales énergétiques en 1985 proviendrait toujours de centrales construites sans le moindre contrôle avant 1970 ; il souligna qu'une centrale énergétique typique, construite sans contrôle à Gavin, en Ohio, pouvait légalement émettre huit fois plus de dioxyde de soufre qu'une centrale voisine neuve et soumise à des contrôles, ce qui n'encourageait guère une compagnie à se dépêcher de mettre au rancart ses vieilles centrales. Rauch cita une étude universitaire dont les conclusions étaient que l'ensemble des dommages annuels causés par une seule centrale de 500 mégawatts, alimentée au charbon et non contrôlée, aux lacs, à la propriété, à la végétation, à la visibilité et à la santé humaine pouvait s'élever de 7 à 50 millions de dollars. Mais « malgré ces statistiques, les pressions exercées sur l'Agence de protection de l'environnement pour que celle-ci assouplisse les limitations des émissions des centrales énergétiques existantes continuent de s'accroître », avertit Rauch. Il cita des requêtes du département de l'énergie auprès de l'Agence pour que celle-ci réévalue si les limites imposées aux centrales énergétiques n'étaient pas trop sévères. Certaines révisions avaient déjà provoqué une augmentation des émissions. D'autres sources individuelles, surtout des centrales de l'Ohio, le pire pollueur de l'air aux États-Unis, faisaient pression pour de nouveaux assouplissements.

Rauch expliqua comment la Cleveland Electric Illuminating Company avait cherché à obtenir une augmentation de 400 pour cent des émissions de ses deux centrales d'Avon Lake et d'Eastlake. Les syndicats de mineurs de la région exigeaient que la Cleveland Electric utilise du charbon de l'Ohio, un charbon si sale qu'il nécessiterait l'installation d'épurateurs dans les deux centrales. D'après la compagnie, les limites appliquées avaient été mal calculées et cet assouplissement de 400 pour cent allait de soi sans pour autant recourir aux épurateurs. Quelque part entre le mois d'avril et la mi-mai, à la suite de réunions de dirigeants de l'Agence, les responsables de celle-ci en Ohio qui s'opposaient à l'assouplissement modifièrent d'un coup leur position et sans explication l'accordèrent. Rauch affirma que cette décision « tira les marrons du feu » pour l'Agence et la Maison Blanche, qui nièrent toutes deux avoir influencé cette décision prise à l'échelon local. « L'Agence aura sans doute eu le choix entre imposer à la Cleveland Electric l'installation d'épurateurs avant de continuer à consommer du charbon de l'Ohio à haute teneur en soufre ou prendre le risque d'encourir la colère de l'industrie du charbon en permettant au service public d'acheter ailleurs du charbon à basse teneur en soufre. » Il ne s'agissait là que d'un seul exemple et d'autres requêtes attendaient leur tour, sans compter la menace vague d'un retour des hautes cheminées. L'Agence n'était d'ailleurs pas aussi démunie que certains le prétendaient pour combattre les précurseurs du transport à longue distance des pluies acides. Un chapitre de la loi sur la propreté de l'air permettait d'interdire toute émission à un État qui entraverait les efforts d'un État sous le vent d'assainir son air. « À ce jour, devait commenter Rauch, l'agence a constamment ignoré cette exigence », même si les États de New York et de Pennsylvanie s'en prenaient déjà à l'augmentation des émissions de la Cleveland Electric. « L'Agence possède les outils prévus par la loi qui lui sont nécessaires, dit-il. Mais il lui manque la volonté politique de s'en servir. » Aux États-Unis, la bataille des pluies acides allait vraiment très mal.

Certains Canadiens, du moins, en étaient conscients, dont ceux qui accompagnaient et reçurent John Fraser lors de sa première visite à Washington un mois plus tôt alors qu'il déclarait avoir l'assurance que la protection de l'environnement ne serait pas relâchée au profit de l'énergie. L'un des principaux responsables de l'ambassade canadienne à Washington évalua ainsi la situation : « L'administration, l'exécutif, la Maison Blanche, les agences du genre de l'Agence de protection de l'environnement, de même que les gens de la Chambre des représentants, — s'ils réussissent à tenir le coup sur les questions d'environnement importantes en ne cédant que très peu de terrain sur celles qui sont d'une importance moindre, alors ils auront très bien fait... Nous vivons une époque de lois d'exceptions aux lois générales... À court terme, deux circonstances priment tout le reste. La première est l'élection présidentielle et l'autre est ce que plusieurs perçoivent comme une crise énergétique. Ces deux facteurs ont ensemble beaucoup à voir avec le fait que les gens de l'Agence de protection de l'environnement ont la tête basse... Sur la façon de faire face à la crise énergétique, il n'existe rien de ressemblant même vaguement à un consensus. » Il devait ajouter en parlant des pluies acides, dont la déclaration énergétique de Jimmy Carter en faveur du charbon provoquerait une augmentation : « Les gens n'en sont pas tellement conscients. »

Mais le responsable canadien avait développé un point de vue critique grâce à ceux, ces rares politiciens, ces administrateurs et ces écologistes, qui l'étaient :

> Ce qu'ils disent fondamentalement, — et je parle de ceux qui sont favorables à un traité, — c'est ceci : « Si vous [les Canadiens] croyez que vous avez la moindre chance de faire progresser cette histoire de traité, compte tenu du climat politique, alors nous devons avoir un minimum de preuve, et pas seulement des promesses, que le Canada, et plus particulièrement l'Ontario, sont prêts à prendre des mesures sévères dans des régions où il semble qu'au sud de la frontière on se replie sur la facilité. » Les exemples comprennent la fonderie de Sudbury, avec la publicité que s'est mérité le ministère de l'Environnement en affirmant quelque chose puis en reculant. Et ils ont bien sûr mentionné Atikokan.

Ottawa et l'Ontario étaient au courant de tout cela et leurs ministres de l'environnement réaffirmaient déjà leurs politiques de ne pas intervenir précipitamment contre les sources de pluies acides avant que les Américains conscients et concernés n'agissent de même. Les deux protagonistes se disposaient à une

188

longue pluie. Du moins certains Américains étaient-ils prêts à le reconnaître.

Quelques jours plus tard, à Ottawa, le ministre canadien de l'Environnement y alla de ce qu'il qualifia de son évaluation « la plus franche » du problème des pluies acides au cours d'une entrevue [5]. Les pluies acides constituaient la principale priorité de son ministère et le premier ministre Joe Clark l'endossait en ceci : « Les conséquences de l'immobilisme sont totalement inacceptables pour le Canada, dit-il. Nous devons agir. Je reconnais que la difficulté de pousser les États-Unis à agir a provoqué des allusions et des commentaires cyniques, compte tenu de leur propre problème et des ramifications de la prochaine élection présidentielle et d'une administration qui tourne au neutre. Mais je ne crois vraiment pas qu'un parti politique américain penserait sérieusement laisser de côté ses préoccupations pour l'environnement. » Fraser parla des pluies acides comme d'un problème si sérieux qu'il ne pouvait être écarté — et qui affectera l'ensemble des relations canado-américaines. « Je ne peux imaginer que les Américains nous ignoreront ; depuis trop longtemps nous cherchons à résoudre en commun les problèmes qui nous confrontent... Les Américains ont besoin de nous, de nos idées, de nos ressources, de notre population. Si nous devons attendre 15 ans et la mort de centaines de lacs avant de procéder aux réductions, il y aura au Canada une explosion de colère telle que notre voisin n'en aura jamais vue. Les Américains ne peuvent se permettre un Canada hostile. »

Il s'agissait de propos durs, bien que Fraser ait refusé de discuter des moyens de pression dont le Canada pourrait se servir tout en reconnaissant que le Canada semblait faible du côté du pacte de l'automobile ou de la propriété étrangère. Il ne voulut pas non plus fixer une date pour la réalisation du véritable traité. Il affirma qu'une action initiale de réduction par le Canada représentait l'une des options valables : « Je compte sur la collaboration de l'Ontario et du Québec plutôt que sur l'action fédérale directe, dit-il. Le ministre ontarien de l'Environnement, Harry Parrott, m'a donné sa parole que l'Ontario ne s'y opposerait pas. Mais je n'insiste pas pour que l'Ontario s'abatte sur l'Inco, pas ce mois-ci. »

---

5. *Ibid.*

Mais Fraser ajouta finalement : « Je reconnais que nous devons continuer à espérer. Nous ne pouvons pas simplement laisser le problème se résoudre de lui-même avec le temps. Le défi que je veux relever, c'est de garder les Canadiens conscients qu'ils devront faire face à une décennie ou davantage de pluies acides si nous n'incitons pas à l'action. » Deux semaines plus tard, lors d'une conférence sur la pollution de l'air à Ottawa, Fraser annonça qu'il n'imposerait pas de nettoyage des sources canadiennes de pluies acides à moins que les Américains ne fassent de même. Les industries canadiennes ne pouvaient se permettre de se voir imposer les mêmes niveaux d'émissions, surtout aux nouvelles sources. « En ce moment, ma stratégie est d'agir de concert avec les Américains », dit-il. Au même moment, à Washington, l'Agence de protection de l'environnement publia son évaluation des pluies acides : elles deviendraient bien pires jusqu'à la fin du siècle.

À la mi-octobre, la première étude conjointe canado-américaine parut. Elle prévoyait des dommages étendus aux lacs et des avertissements de mauvais augure concernant des pertes pour les cultures, les forêts et la propriété. Elle tenait le Canada responsable d'environ la moitié du total des dépôts d'acide que celui-ci subissait. Le sujet fit boule de neige dans les média et un ensemble de Toronto, Joe Hall et les Continental Drift, lui consacra même une chanson rock. On commença à exiger que les gouvernements fédéral et provinciaux s'engagent fermement à agir et le ministre ontarien de l'Environnement, Harry Parrott, commença son numéro de girouette avec ses promesses d'imposer un nouvel ordre de contrôle à l'Inco. Son premier ministre laissa clairement entendre qu'il n'en était pas question. Au cours du séminaire international sur les pluies acides, tenu à Toronto le 2 et 3 novembre, Parrott souligna de nouveau l'intention de l'Ontario de « travailler de concert avec d'autres juridictions, en espérant que ce soit par le biais d'une entente internationale », tout en insistant sur le fait que l'Ontario agirait aussi seul à une date indéterminée. John Fraser affirma qu'il craignait qu'il soit impossible d'en venir à un traité international avant que l'élection présidentielle américaine de 1980 ne soit passée, mais que le Canada agirait, avec ou sans traité, dans les deux ans.

Le membre de la Chambre des représentants James Oberstarr, de l'État du Minnesota tourmenté par les acides, l'un

# 10

# Prévisions sombres

Harold Harvey publia sa découverte de la mort par acidification des lacs du parc Killarny en 1971. La même année, la
Suède faisait paraître son « livre rouge » qui qualifiait de « désas-
treuse » la situation causée par les pluies acides en Scandinavie et
susceptible d'exister aussi au Canada et dans le nord-est des
États-Unis. Harvey était presque seul à s'inquiéter ; on ignora à
toutes fins utiles les rapports suédois. Il fallut presque une
décennie de recherches attentives désintéressées et non coordon-
nées pour confirmer que Harvey et les Suédois avaient visé
absolument juste. De nos jours, les rapports scientifiques ont
cessé d'être aussi discrets dans leurs spéculations pour devenir de
plus en plus alarmistes. Les pluies acides ne sont plus un sujet
pour les seules publications techniques et les conférences universitaires. De nos jours, journaux et magazines, même ceux où le
Canada annonce toujours son Nord immaculé, publient des
caricatures où des citoyens s'abritent sous un parapluie désin-
tégré ou pêchent des poissons squelettiques. Les réalités physiques essentielles des pluies acides captivent ainsi l'esprit de
tous.

Les réalités économiques reçoivent elles aussi de plus en plus
de publicité. Le coût de la réduction des émissions coupables
sera élevé, mais la prétention — que d'aucuns qualifient de

192

chantage — des compagnies et des politiciens, selon qui les prix sont inacceptablement élevés et menacent de faire effondrer l'industrie, risque de perdre bientôt de son pouvoir d'intimidation. La technologie de réduction existe et, compte tenu de l'envergure de la plupart des pollueurs industriels, ceux-ci en ont les moyens. Mieux, lorsque seront comptabilisées les estimations tardives du coût des pluies acides, il tombera sous le sens que nous ne pouvons tout simplement pas nous le permettre. Ce coût augmente en fait avec chaque jour de retard dans l'application des techniques de réduction, et les scientifiques nous avertissent maintenant de ce que les dommages approchent d'un point de non-retour dont les conséquences économiques seront des plus néfastes.

Ce qui ne change pas, c'est l'absence de tout engagement politique à faire face à ces réalités et à commencer à fermer dès maintenant les robinets de pluies acides. Ce dont on n'a pas non plus conscience, c'est que chaque Nord-Américain devra supporter le coût des pluies acides. Ceux qui vivent dans le Nord-est, et surtout au Canada, ne sont que les premiers en ligne à devoir payer pour les véritables conséquences d'un environnement corrodé, des pêcheries détruites, d'industries des loisirs et du tourisme dégonflées. Les coûts en foresterie, en agriculture, en propriété et en santé humaine seront beaucoup plus étendus.

La réponse politique aux pluies acides a été dominée au cours des années 70 par une myopie et par une attitude trompeuse qui n'a guère changé durant cette décennie. Si l'on en juge par les politiques et les tactiques provoquées par une série d'événements importants au début de 1980, les prévisions à long terme demeurent sombres.

— À la mi-janvier 1980, le Canada et les États-Unis annoncèrent qu'ils s'engageaient à consacrer ensemble 100 millions de dollars à l'étude des pluies acides. Le ministre canadien de l'environnement John Fraser affirma qu'il demeurait confiant qu'un traité sur les réductions puisse être signé dans l'année. Trois semaines plus tard, on sut que Jimmy Carter voulait produire davantage de pluies acides[1]. Il voulait qu'au moins 62 centrales énergétiques

1. *Washington Post*, 7 février 1980.

alimentées à l'huile se convertissent rapidement au charbon. En grande partie exemptes des contrôles de pollution sévères imposés à toutes les nouvelles centrales, celles-ci réduiraient leur dépendance à l'huile tout en augmentant d'au moins 600 000 tonnes par année leurs émissions de dioxyde de soufre. La plupart de ces centrales sont situées dans le nord-est et déjà saturées d'acides. Le plan de conversion avait déjà été soumis aux services publics et aux leaders de la Chambre des représentants dans le but d'obtenir leur appui. L'Agence de protection de l'environnement avait été consultée parmi les derniers. Le Canada n'avait pas été prévenu.

— À Ottawa, à la mi-février, John Fraser affirma que le plan de conversion américain le « préoccupait ». Il ajouta qu'il incitait les Américains à signer un traité qui prévoierait aussi un contrôle sévère des centrales converties et ferait la preuve de leur bonne foi dans la bataille contre les pluies acides [2]. Une semaine plus tard, Fraser perdait son poste alors que le Parti conservateur subissait la défaite après seulement six mois au pouvoir, victime de son intention de gouverner en parti majoritaire alors qu'il était minoritaire. À Washington, le plan de conversion de Carter fut présenté à la Chambre des représentants sans contrôle sévère des émissions. À en croire un porte-parole, l'administration Carter reconnaissait l'existence des pluies acides, mais celles-ci constituaient « un nouveau phénomène qui n'a pas été solutionné. » Elles ne pouvaient pas empêcher la conversion rapide à un usage accru du charbon [3].

— John Roberts, le quatrième ministre canadien de l'environnement en autant d'années, en libéral qu'il était, à l'instar de son prédécesseur conservateur John Fraser, un homme attrayant et ambitieux, entra en fonction déterminé à polir son image en combattant les pluies acides. Il les qualifia de « bombe à retardement écologique », soutint que le Canada était prêt à réduire ses propres émissions de façon draconienne, et affirma que les gouvernements

2. CBC Radio, « Daybreak », 14 février 1980.
3. SOMMERVILLE, Glenn, Canadian Press, 3 mars 1980.

provinciaux étaient d'accord[4]. Entre temps, la Noranda Mines Ltd lança qu'elle serait peut-être forcée de fermer sa fonderie géante de Rouyn-Noranda si le gouvernement du Québec insistait pour qu'elle réduise ses émissions de dioxyde de soufre de façon substantielle.

— Au début d'avril, le ministre ontarien de l'environnement, Harry Parrott, se transforma de nouveau en girouette et annonça qu'il agirait « indépendamment des États-Unis en commençant à prendre des mesures énergiques contre les émetteurs ontariens. Deux semaines plus tard, il déclara qu'il s'opposait au projet de l'Hydro Ontario de consommer davantage de charbon dans le but de produire un surplus d'énergie susceptible d'être vendu aux États-Unis. (Comble de l'ironie, l'Hydro voulait vendre cette énergie à la General Public Utilities Corp. dont la centrale nucléaire de Three Mile Island était hors d'état de fonctionner de façon permanente.) Le projet d'exportation de l'Hydro émettrait par ses cheminées non épurées 80 000 tonnes supplémentaires de dioxyde de soufre par année. Mais le premier ministre ontarien William Davis s'empressa de corriger Parrott. Il était préférable que l'Hydro consomme davantage de charbon et augmente ses revenus en exportant de l'énergie — sans compter les émissions — au sud, vers les États-Unis, plutôt que de laisser les Américains les produire eux-mêmes, devait affirmer le premier ministre, bien connu pour son appui à l'Hydro et peu connu pour sa passion de l'environnement ou sa compréhension des pluies acides[5].

— Vers la fin d'avril, John Roberts affirma que les Américains l'avaient convaincu. Il fallait d'abord agir auprès des pollueurs canadiens, la principale cible étant l'Inco. L'Inco, dit-il, pouvait réduire de 50 pour cent en moins de cinq ans ses émissions de Sudbury en se servant de la technologie existante, au coût d'environ 400 millions de dollars. Il affirma qu'il avait en main de nouvelles études

4. Discours de Ray Robinson, sous-ministre adjoint, Environnement Canada, à la conférence de l'Agence américaine de protection sur les pluies acides, Springfield, Virginie, 8-9 avril 1980.

5. *Globe and Mail*, 26 avril 1980.

fédérales qui le prouvaient. Les coûts de production du nickel, qui s'élevaient alors à 3,60 $ la livre, seraient augmentés de 20 ¢ la livre, « un coût qui ne profiterait pas à l'Inco mais que celle-ci pouvait assumer. » La multinationale géante était le producteur de nickel dont la santé économique était la meilleure au monde, avec les coûts de production les plus bas, et pouvait sans bénéficier d'une aide gouvernementale assumer une dépense de cet ordre [6]. Harry Parrott rencontra Roberts et affirma par la suite qu'il était « d'accord en gros » avec lui. Un nouvel ordre de contrôle à l'intention de l'Inco était en préparation. L'Inco répliqua qu'il « était trompeur de laisser entendre qu'une réduction des émissions de l'Inco solutionnerait de quelque façon le problème des pluies acides [7]. »

— Le 1er mai 1980, on annonça le nouvel ordre de contrôle imposant à l'Inco de « réduire substantiellement » ses émissions de dioxyde de soufre. Cet ordre « servirait d'exemple et ouvrirait la voie à la réaction aux pluies acides », promit Parrott [8]. L'ordre accordait en fait à l'Inco deux ans de pollution ininterrompue, imposait une réduction de 25 pour cent en 1983, et exigeait une vague réduction éventuelle à une vague date éventuelle. L'ordre imposait à l'Inco de réduire sur-le-champ ses émissions à 2 500 tonnes par jour ; mais l'Inco émettait presque exactement cette quantité depuis plusieurs mois à cause d'une baisse de la demande mondiale, donc de la production (bien que le prix du nickel et les profits de l'Inco aient augmenté.). L'ordre imposait une réduction de 25 pour cent dans les deux ans ; mais l'Inco avait annoncé deux mois plus tôt la mise au point d'un nouveau processus qui réduirait les émissions de 25 pour cent et qui, perfectionné, pourrait être installé deux ans plus tard. Celui-ci coûterait quelques « dizaines de millions de dollars », mais les profits de l'Inco étaient passés de 78 millions en 1978 à 141 millions en 1979.

6. *Toronto Star*, 22 avril 1980.

7. *Ibid.*

8. Ontario Ministry of the Environment, News Release, 1 mai 1980.

— Les réductions substantielles promises par Parrott demeuraient vagues. Le seul objectif auquel on faisait allusion —
« aussi bas que possible » — pouvait signifier n'importe
quoi, selon la définition de l'Inco de ce qui était possible,
sans être ni improfitable ni infaisable. L'Inco et une
équipe de fonctionnaires fédéraux et provinciaux étu-
dieraient ensemble la question. Aucune échéance ne fut
fixée ; on ne fit pas allusion aux études fédérales qui
faisaient état d'une réduction de 50 pour cent en cinq ans
au coût de 400 millions de dollars. Les critiques de
l'opposition au parlement ontarien qualifièrent l'ordre de
« trahison » et de « rédigé par l'Inco ». À Ottawa, John
Roberts fit l'éloge de Parrott pour sa « décision importante et courageuse. » À Toronto, le président de l'Inco,
Charles Baird, reconnut que l'ordre de contrôle ne causait
aucun inconvénient immédiat à la compagnie mais que
dans le cas où la demande de nickel connaîtrait une
hausse soudaine la compagnie se verrait privée de peut-
être 700 millions de dollars de revenus supplémentaires
par année (cette évaluation impliquait une hausse de la
production du nickel, et des émissions correspondantes, à
leur niveau antérieur de 3 600 tonnes par jour)[9]. Il affirma
aussi que si la technologie susceptible de réduire la
pollution de 25 pour cent faisait défaut après 1982, l'Inco
pourrait se voir forcée de réduire la pollution de 25 pour
cent en réduisant la production de nickel ce qui entraî-
nerait, rappela-t-il aux journalistes, des mises à pied à
Sudbury.

— Au début de mai, le ministre ontarien de l'environnement,
Harry Parrott, promit d'annoncer au cours des semaines
suivantes une stratégie de réduction des émissions de
l'Hydro Ontario. Quelques semaines passèrent et on
n'annonça rien. Le Parlement ontarien ajourna ses travaux pour l'été. À Ottawa, le secrétaire parlementaire de
John Roberts, Roger Simmons, affirma que l'action
entreprise par l'Ontario contre l'Inco ne constituait
qu'une partie de la solution au problème des pluies acides.

---

9. Inco Ltd., Media Information, IN 46/80, 1 mai 1980.
10. PARLEMENT DU CANADA, *Hansard*, 6 mai 1980 : 788.

Il ne laissa pas entendre que les autres parties de la solution pouvaient comprendre la fonderie de la Noranda au Québec, l'autre fonderie de l'Inco au Manitoba, les centrales énergétiques alimentées au charbon projetées dans les prairies, la prévision d'une augmentation de 30 pour cent des 107 000 tonnes annuelles de l'Alberta où l'on construisait de nouvelles usines près des sables bitumineux ainsi que de nouvelles raffineries, ou l'intention de la Colombie britannique de se servir sans contrôles de centrales alimentées au charbon plutôt que de l'énergie nucléaire. Il affirma plutôt que l'objectif suivant était de convaincre le gouvernement américain d'imposer des contrôles rigoureux au projet de conversion de l'huile au charbon de Jimmy Carter. «La lumière au bout du tunnel, dit Simmons, c'est que la Chambre des représentants n'a pas approuvé le programme de conversion au charbon de monsieur Carter.» Il passa sous silence les plus de 200 centrales américaines existantes alimentées sans contrôles au charbon ainsi que les 350 nouvelles qui annonçaient une augmentation du total des émissions. Le tunnel auquel Simmons faisait allusion n'était rien d'autre qu'un gigantesque entonnoir drainant davantage de pluies acides vers le Canada.

— Le 25 juin, le projet de conversion de Carter fut approuvé par le Sénat américain sans se voir imposer de contrôles rigides des émissions de dioxyde de soufre. Le directeur de l'Agence américaine de protection de l'environnement, Doug Costle, avait depuis longtemps laissé tomber cette légère escarmouche et regardait vers l'avenir. Les pluies acides allaient empirer, affirma-t-il devant un sous-comité sénatorial [11]. Leur impact était déjà identifiable du Minnesota à la Pennsylvanie aux Great Smoky Mountains (qui portaient de mieux en mieux leur nom), dans les eaux acidifiées, la mortalité des poissons, la toxicité des eaux potables et les premières confirmations de dommages aux récoltes. Costle était optimiste quant aux techniques de réduction des pluies acides, qu'il s'agisse d'épurateurs, de

---

11. *Globe and Mail*, 20 mars 1980.

lessivage du charbon ou de l'utilisation d'un charbon de basse teneur en soufre, mais pessimiste quant à leur application aux sources de pluies acides. Selon lui, l'élaboration et l'application des réglementations nécessaires pour lutter contre les pluies acides pourraient prendre jusqu'à 10 ans. Entre temps, l'État de la Pennsylvanie entreprit une poursuite judiciaire contre l'Agence parce qu'en assouplissant ses réglementations elle avait permis à l'Ohio d'augmenter ses émissions tandis que les États de New York et de New Jersey faisaient de même pour forcer l'Agence à assouplir *leurs* réglementations[12]. Ainsi que devaient le confirmer des responsables canadiens, personne à Washington n'avait perçu dans l'initiative isolée du Canada contre l'Inco une solution soudaine à l'impasse trans-frontières.

— Mais à en croire les groupes de pression qui représentaient le charbon, il n'y avait pas lieu de s'inquiéter. « Il est trop tôt pour dire et rien n'indique que la combustion du charbon génère des pluies acides », devait déclarer Jack Keany, de l'Edison Electrical Institute, propriété de l'industrie des services publics[13]. « L'anxiété considérable au sujet des pluies acides dans le pays a été provoquée par l'Agence de protection de l'environnement et les média nationaux, devait commenter Carl Bagge, président de la National Coal Association. Mais les informations solides, qui justifieraient l'imposition de réglementations ou de contrôles, ne sont pas disponibles[14]. » L'American Electrical Power, qui exploite des centrales alimentées au charbon dans sept États de l'Est, devait annoncer qu'elle entreprendrait ses propres études « dans le but de déterminer les causes et les effets, bénéfiques ou nuisibles, des pluies acides[15]. » Et William Proudston, vice-président de la Consolidation Coal Company, devait instruire le comité sénatorial de l'énergie et des ressources naturelles en ces termes le 28 mai : « Il n'est pas clair que les précipitations

12. BENDER, Judith, *Newsday*, 16 avril 1980.
13. CBC National Television News, 17 avril 1980.
14. *Locomotive Engineer*, Washington, D.C., 2 mai 1980.
15. *Globe and Mail*, 10 mai 1980.

acides provoquent effectivement l'acidification des lacs...
Il n'est pas non plus clair que la combustion de charbon
par les services publics soit une cause importante de
l'augmentation des pluies acides... Il ne serait ni excusable, ni justifié, ni sage que la nation entreprenne
[d'imposer] des règles de contrôle sur la base de données
insuffisantes, contradictoires et peu concluantes. »

La litanie des promesses, des menaces voilées et des gestes
futiles se poursuit. En juin 1980, des responsables de l'Inco
affirmèrent qu'il était peu probable que la compagnie puisse
parvenir à réduire de 25 pour cent les émissions polluantes de sa
cheminée géante de Sudbury en moins de deux ans comme
l'avait antérieurement promis la compagnie et comme l'en avait
menacée le gouvernement ontarien. Selon la compagnie, le temps
lui manquait pour solutionner les problèmes techniques [16]. En
août, le gouvernement n'était toujours pas parvenu à imposer
son ordre de contrôle et s'apprêtait à faire face à une longue
bataille de l'Inco contre celui-ci si jamais cet ordre était accepté.
Le Canada et les États-Unis signèrent une « note d'intention » de
combattre ensemble les pluies acides en échangeant de l'information, en appliquant les lois existantes et, bien sûr, en étudiant
davantage le problème. Ces promesses différaient peu de celles
de l'année précédente, exception faite d'un accord pour entreprendre la véritable discussion d'un traité sur l'air transfrontières... un an plus tard. Entre temps, la législation américaine sur la conversion hâtive au charbon des centrales énergétiques alimentées à l'huile, exemptes de contrôles de pollution,
était presque approuvée par la Chambre des représentants. Et en
Suède comme aux États-Unis, des expérimentateurs amorcèrent
avec enthousiasme leur projet d'élever un poisson résistant aux
acides, capable de supporter un bas pH et de fortes doses
d'aluminium.

Harold Harvey, le zoologiste canadien qui avait le premier
découvert les acides — et l'absence de poissons — dans les lacs
du parc Killarny, en Ontario, une décennie plus tôt, évalue à sa
juste valeur l'idée du poisson résistant. Les poissons, souligne-t-il, ne sont qu'une façon de mesurer l'impact des pluies acides et
servent de signe avant-coureur de la mort imminente de l'éco-

16. *Toronto Star*, 5 juin 1980.

système de la même façon que les canaris encagés que l'on emporte dans les mines préviennent de la présence de gaz toxiques. Élever des poissons résistants aux acides n'est donc pas plus sage que d'équiper les canaris de masques à gaz.

Les pluies acides constituent une crise écologique dont les implications économiques sont énormes mais dont la solution est politique. Aux États-Unis, les politiciens fabriquent les lois et cherchent le moyen de les contourner ; au Canada, ils cherchent encore à éviter de légiférer sur les pluies acides. Si la tradition politique, les affirmations des corporations et la quiétude des scientifiques représentent à ce jour le dernier mot sur les pluies acides, alors les prévisions à long terme pour l'environnement sans protection de l'Amérique du Nord se réduisent à une épitaphe. Il n'est pas nécessaire qu'il en soit ainsi. Le futur appartient à chaque Nord-Américain.

*Toronto, août 1980*

# Postface

## Un problème d'opinion publique

*Le message est clair. D'aucuns diront qu'il est aussi clair que les eaux acides de nos lacs. Il ne laisse guère d'illusions sur ce qui nous attend. Si nous ne réagissons pas rapidement et concrètement, nous n'avons plus que quelques années devant nous. C'est notre avenir qui est en jeu.*

*Sur le plan technique, le problème est relativement simple. Les causes sont connues et la technologie nous offre déjà des possibilités d'intervenir à la source, du moins en ce qui concerne les émissions d'anhydride sulfureux. Le prix sera élevé. Sans compter que le caractère universel de cette forme de pollution exige une action quasi simultanée de deux pays, plusieurs États et quelques provinces. Ces difficultés politiques rendent la tâche difficile.*

*Ross Howard et Mike Perley l'expriment très bien : le problème est avant tout un problème technique mais pour s'y attaquer efficacement on doit trouver une solution à son volet politique. L'opinion publique étant le seul moteur capable de faire tourner efficacement l'engrenage politique, les citoyens doivent s'en mêler.*

*Jusqu'à ce jour, au niveau international, le Québec s'est officiellement impliqué. Le ministre de l'Environnement fait partie du comité des ministres canadiens qui décident des orientations en vue d'un accord éventuel avec les États-Unis sur la qualité de l'air au-delà des frontières. Ces négociations font suite à une entente intervenue le 5 août 1980 entre le gouvernement américain et le gouvernement canadien. Des fonctionnaires du ministère de l'Environnement du Québec travaillent à monter un dossier technique pour soutenir les orientations prévues. Sur le plan strictement canadien, ces mêmes fonctionnaires apportent leur collaboration à différents comités dont l'un des objectifs est de trouver des solutions concrètes aux foyers de pollution identifiés.*

*En septembre 1981, le ministère de l'Environnement du Québec présente un mémoire de l'Agence de Protection de l'Environnement américaine pour s'opposer officiellement au relâchement des normes d'émissions d'anhydride sulfureux de ce pays.*

*En octobre, une entente signée entre le gouvernement du Québec et l'État de New-York favorise les échanges et vise à mettre en commun les efforts respectifs pour amener le Congrès et le Sénat américains à rendre plus sévère le Clean Air Act plutôt qu'à l'adoucir comme le souhaitent les industries du MidWest. Une entente similaire rallie, quelques semaines plus tard, l'État du Vermont.*

*Au Québec, sur le plan technique, le Service de météorologie du ministère de l'Environnement possède quarante-six stations de prélèvement des pluies. Des données précises et essentielles sur la qualité des pluies dans les régions les plus sensibles seront ainsi mises à la disposition des différents intervenants.*

*En novembre 1981, le ministère de l'Environnement du Québec organise un atelier de travail où sont présentés aux principaux groupements de citoyens impliqués dans la bataille contre les pluies acides, des documents qui donnent un aperçu de la situation qui prévaut au Québec.*

*Autour de 1979, les émissions d'anhydride sulfureux se chiffrent à environ 1 030 000 tonnes métriques pour le Québec. Les principaux responsables de ces émissions sont l'industrie des mines et métallurgie (803 600 tonnes), le chauffage des résidences et commerces (136 000 tonnes), les papeteries (82 820 tonnes) et les raffineries de pétrole (44 660 tonnes). Dans le secteur des mines et métallurgie, la fonderie Noranda est à elle seule responsable de 566 000 tonnes et les Mines Gaspé de 91 000 tonnes.*

*En répartissant géographiquement les plus importants foyers d'émission d'anhydride sulfureux du Québec, cinq grands centres de pollution sont mis en évidence :*

| | | |
|---|---|---|
| – ABITIBI | – Fonderie Noranda | – 566 000 tonnes |
| – GASPÉSIE | – Mines Gaspé | – 91 000 tonnes |
| – MONTRÉAL – CUM | – Raffineries de l'est de Montréal et chauffage Raffineries de l'est de Montréal (37 760) | – 81 760 tonnes |
| – TÉMISCAMINGUE | – Tembec | – 33 000 tonnes |
| – LAC-SAINT-JEAN | – Alcan | – 27 990 tonnes |

*Quant aux oxydes d'azote, le total des émissions atteignait 323 000 tonnes annuellement en 1976. Environ le tiers de ces émissions est attribuable aux véhicules motorisés dont le parc le plus important est situé sur le territoire de la Communauté urbaine de Montréal (CUM).*

*On peut prévoir pour le Québec, une réduction globale de 27% des émissions d'anhydride sulfureux d'ici 1985 si l'on réduit les émissions de la fonderie Noranda de 40%. Il serait techniquement possible d'obtenir une réduction globale de 44%, mais à condition que la Noranda réduise ses émissions de 70%.*

*De telles prévisions peuvent paraître à la fois modestes et ambitieuses. Modestes parce qu'il est évident qu'il nous* faudra faire plus et plus vite si nous tenons vraiment à contrer le fléau des pluies acides. Ambitieuses parce que nos émissions d'anhydride sulfureux ne comptent que pour 4% des émissions nord-américaines et 20% des émissions canadiennes. Il devient tentant de nous appuyer sur ces chiffres pour attendre qu'on ait effectué ailleurs une réduction appréciable des émissions d'anhydride sulfureux avant d'agir chez nous.

Les Américains subissent les mêmes tentations, mais pour des raisons différentes. Une bonne partie des émanations toxiques de leurs industries ne retombent-elles pas ailleurs? Des deux côtés de la frontière, on semble avoir oublié que la pollution atmosphérique frappe d'abord la région immédiate des industries polluantes où la santé des citoyens est parfois sérieusement menacée. Avant les lacs, les forêts, les terres agricoles et la faune des régions éloignées, les premières victimes sont les citoyens qui vivent près de ces industries. L'air vicié qui produit les pluies acides est le même air que des centaines de milliers de citoyens respirent quotidiennement. Peut-on se permettre d'attendre alors qu'il s'agit de notre propre survie?

Nous avons laissé les industries ériger de hautes cheminées pour diluer les contaminants. Faut-il maintenant que nous laissions s'ériger des cheminées politiques pour diluer nos responsabilités? Nous n'avons guère le choix. Nous sommes responsables à 100% des émissions québécoises d'anhydride sulfureux. Nous devons, chez nous, apporter tous les correctifs qui s'imposent à la limite de la technologie actuelle. Et nous devons poursuivre, par tous les moyens, les actions amorcées pour tenter d'amener les autres gouvernements à prendre leurs responsabilités dans les plus brefs délais. C'est à cette prise de position politique et sociale que l'opinion publique doit participer.

Le mouvement est amorcé, mais il est encore loin de pouvoir influencer les décisions des autorités. Selon un sondage GALLUP de septembre 1980, seulement 45% des

*Québécois connaissaient le problème des pluies acides. Seulement 3% pouvaient en donner les véritables causes, les plus renseignés étant les universitaires.*

*Cette situation appelle des mesures extraordinaires sur le plan de l'information publique. Le dossier des pluies acides doit devenir un dossier ouvert. Tous ceux que le problème préoccupe doivent s'impliquer comme ils ne l'ont jamais fait auparavant. Les hommes de science se doivent d'appuyer le mouvement d'opinion publique mais ils ne peuvent pas remplacer les citoyens. Aux citoyens de décider qu'ils en ont assez! Aux citoyens de le crier sur tous les toits.*

*Pour être efficace, le mouvement d'opinion publique contre les pluies acides doit être d'une rare cohérence. Il est vital que les différents groupements et associations défendent des principes éprouvés:*

— *Enrayer la pollution à la source. Éviter de dilapider le budget de dépollution des pluies acides sur des palliatifs ou de vagues études théoriques.*

— *Apporter des correctifs en exploitant à sa limite la technologie d'aujourd'hui. Les solutions de demain sont pour demain.*

— *Penser santé plutôt que rentabilité. Accepter de payer le prix d'un environnement sain.*

*Ces grands principes s'appuient sur le bon sens. Ils sont un guide qui facilite l'engagement des citoyens sans qu'ils aient à connaître toutes les ramifications scientifiques du problème. La bataille des pluies acides doit avant tout être une bataille de convictions et de gros bon sens. Il ne faut pas se laisser paralyser par la technologie. Encore moins par le progrès que nous pouvons orienter pour atteindre un juste équilibre entre les agréments de l'industrie et les déchets qu'elle produit... si nous nous en donnons les moyens!*

*Ne plus accepter. S'engager et lutter jusqu'à la victoire. Ne ménager aucun effort pour ramener les pluies acides dans l'actualité. Mais l'intérêt soudain qui se manifeste pour ce problème ne doit pas nous faire oublier tous les autres problèmes de pollution et de dégradation de la nature qui nous affligent. Ce livre, je l'espère, sera l'étincelle qui nous incitera à nous regrouper pour réclamer l'environnement sain auquel nous avons droit.*

**Tony LeSauteur**

*Ceux qui désirent approfondir le problème trouveront dans les dernières pages de ce livre une liste des agences et personnes avec qui l'on peut communiquer pour obtenir de plus amples informations des gouvernements américain, canadien et norvégien. On y trouve aussi la liste des principaux groupes de pression. J'ai ajouté aux lectures complémentaires suggérées une liste couvrant le Québec, ainsi qu'une vingtaine de titres français. Il s'agit, pour la plupart, des plus récentes publications du ministère de l'Environnement du Québec.*

**T. LeS.**

# Pour de plus amples informations

## AGENCES ET PERSONNES

*États-Unis*

Aux États-Unis, l'Agence de protection de l'environnement (Environmental Protection Agency) demeure bien entendu la principale source d'information gouvernementale sur les pluies acides. Il est possible de visiter son Bureau de la prise de conscience publique (Office of Public Awareness), 401 M Street S.W., Washington, D.C. 20460. Tél.: (202) 755-2673 ou 755-0344. Le directeur général de l'Agence est Doug Costle.

Une autre importante agence gouvernementale: le Council on Environmental Quality, 722 Jackson Place N.W., Washington, D.C. 20006. Tél.: (202) 395-5700. Le président en est Gus Speth, qui a fait certaines déclarations fermes sur la nécessité des réductions.

Les groupes de pression profondément impliqués dans le débat sur les pluies acides aux États-Unis comprennent le Center for Law and Social Policy, 1751 N Street N.W., Washington, D.C. 20036. Tél.: (202) 872-0670. (Jim Barnes).

The Environment Defence Fund, 1525 Eighteenth Street N.W., Washington, D.C. 20036. Tél.: (202) 833-1484. (Bob Ranch); et l'Environmental Law Institute, 1346 Connecticut Ave. N. W., Washington, D.C. 20036. Tél.: (202) 452-9600. (Greg Wetstone).

Plusieurs autres associations américaines sont impliquées et il est possible d'entrer en contact avec elles par l'intermédiaire de celles-ci.

Les compagnies américaines avec qui entrer en contact à propos de leurs émissions polluantes et de leurs efforts pour les réduire comprennent l'American Electric Power Company, la Commonwealth Edison, la Tennessee Valley Authority et la Detroit Edison.

## Canada

Au Canada, un acteur important de la réduction des pluies acides au niveau du fonctionnariat fédéral est Ray Robinson, adjoint au sous-ministre, Service de protection de l'environnement, Environnement Canada, Place Vincent Massey, Ottawa, Ontario K1A 1C8. Tél.: (613) 997-1575.

L'actuel (novembre 1981) ministre fédéral de l'environnement est l'honorable John Roberts, ministre de l'environnement, 14e étage, Édifice Fontaine, Ottawa, Ontario K1A 0H3. Tél.: (613) 997-1441.

L'actuel (novembre 1981) ministre ontarien de l'environnement est le Dr Harry Parrott, Minister of the Environment, 14th Floor, 135 St. Clair ave. West, Toronto, Ontario M4V 1P5. Tél.: (416) 965-1611.

Les principaux fonctionnaires ontariens avec qui entrer en contact sont: a) Ed Piche, Coordinator, Acid Precipitation Study, Ministry of the Environment, 6th Floor, 40 St. Clair Ave. West, Toronto, Ontario, Tél.: (416) 965-1140; b) Dr Greg Van Volkenburgh, Air Resources Branch, Ministry of the Environment, 4th Floor, 880 Bay Street, Toronto, Ontario. Tél.: 965-2053; et c) Dr Tom Brydges, Supervisor, Limnology and Toxicity Section, Ministry of the Environment, Resources Road, Rexdale, Ontario. Tél.: (416) 248-3058.

Les deux premiers sont impliqués dans l'effort global de réductions en Ontario tandis que le troisième s'intéresse plus particulièrement à l'impact des pluies acides sur les lacs et les cours d'eau.

Le groupe de pression le plus important est celui qui a donné suite à la conférence de Toronto sur les pluies acides en novembre 1979. Il s'agit de la Federation of Ontario Naturalists, 355 Lesmill Road, Don Mills, Ontario M3P 2W3. Tél. : (416) 444-8419. Il est possible d'obtenir auprès de Ron Reid des détails sur ce groupe. La FON distribue une bibliographie de 27 pages, spécialement préparée à l'occasion de la conférence, qui élargit considérablement notre propre choix.

Deux autres groupes de pression s'intéressent plus particulièrement aux aspects légaux et techniques des pluies acides. Il s'agit de la Canadian Environmental Law Association, 5th Floor South, 8 York Street, Toronto, Ontario M5J 1R2. Tél. : (416) 366-9717. (Joe Castrilli) ; et de Pollution Probe, 43 Queen's Park Crescent, University of Toronto, Toronto, Ontario. Tél. : (416) 978-7152 (Bill Glenn).

Les compagnies canadiennes importantes qui sont impliquées : a) Inco Ltd., 1 First Canadian Place, Toronto, Ontario M5X 1C4. Tél. : (416) 361-7511 (Dr Stuart Warner, vice-président) ; b) Ontario Hydro, 700 University Avenue, Toronto, Ontario M5G 1X6. Tél. : (416) 592-3331 (Public Reference Center) ; c) Noranda Mines Ltd., P.O. Box 45, Commerce Court West, Toronto, Ontario M5L 1B6. Tél. : (416) 867-7111.

Les autres compagnies qui ont des fonderies importantes au Canada comprennent la Hudson Bay Mining and Smelting Company Ltd., P.O. Box 28, Toronto Dominion Centre, Toronto, Ontario M5K 1B8 et Falconbridge Group, P.O. Box 40, Commerce Court West, Tornoto, Ontario M5L 1B4.

## Québec

Au Québec, le problème des pluies acides est placé sous l'autorité du ministère de l'Environnement dont le sous-ministre est M. André Caillé, 2360 Chemin Sainte-Foy, Sainte-Foy (Québec), G1V 4H2.

Deux directions générales se partagent la responsabilité :

1. *La Direction générale des inventaires et de la recherche* est responsable des relevés et des impacts des pluies acides sur l'environnement.

2. *La Direction générale de l'amélioration et de la restauration des milieux atmosphérique et terrestre* est responsable du programme de dépollution.

Ces deux directions logent au 2360 Chemin Sainte-Foy, Sainte-Foy (Québec), G1V 4H2.

L'actuel ministre québécois de l'environnement est M. Marcel Léger, Hôtel du Parlement, Québec (Québec), G1A 1A4.

Les groupes de pression les plus importants sont la *Fédération des Associations pour la protection de l'environnement des lacs* (FAPEL), 1415 est rue Jarry, Montréal (Québec), H2E 2Z7, l'*Association québécoise des techniques de l'eau* (AQTE), 6290 rue Périnault, bureau n° 2, Montréal (Québec), H4K 1K5, la *Société pour vaincre la pollution* (SVP), Casier postal n° 65, succursale Place d'Armes, Montréal (Québec), H2Y 3E9 et *Society to Overcome Pollution* (STOP), 1361 avenue Greene, Westmount (Québec), H3Z 2A5.


## Norvège

Pour tout renseignement, on peut s'adresser aux bureaux du Projet de recherches norvégien, lancé en 1972 pour étudier les effets des précipitations acides sur les forêts et les poissons. L'adresse : SNSF-Projet, Boîte 61, 1432 Aas-NLH, Norvège. Le directeur des recherches est Lars N. Overrein.

# LECTURES COMPLÉMENTAIRES

Les titres qui suivent ont été choisis parce qu'ils sont représentatifs des publications actuellement disponibles. La plupart comportent des bibliographies. On peut aussi se reporter aux notes.

BABICH, Harvey *et al.*, « Acid Precipitation : Causes and Consequence », *Environment*, vol. 22, n° 4, mai 1980 : 6–13.

BERRY, Michael A. et John D. BACHMAN, « Developing Regulatory Programs for the Control of Acid Precipitation », *Water, Air and Soil Pollution* 8, 1977 : 95–103.

* BOBÉE, B., GRIMARD, Y., LACHANCE, M., et TESSIER, A., « Nature et étendue de l'acidification des lacs du Québec méridional », Institut national de la recherche scientifique, (Eau), Rapport scientifique #140.

* BOBÉE, B., et LACHANCE, M., « Impact des sources de SO $_2$ sur l'acidification des précipitations et étude régionale de l'influence des émissions de la fonderie de Noranda », présentation au XV$^e$ symposium canadien de la recherche sur la pollution de l'eau, Sherbrooke, 7 décembre 1979.

CHUNG, Y.S., « The Distribution of Atmospheric Sulphates in Canada and its Relationship to Long-Range Transport of Air Pollutants », *Atmospheric Environment*, vol. 12, n° 6/7 et 12, 1978 : 1471–1479 et 2519–2522.

COGBILL, C.V. et G.E. LIKENS, « Acid Precipitation in the Northeastern United States », *Water Resources Research*, vol. 10, n° 6, 1974.

DILLON, P.J. *et al.*, « Acidic Precipitation in South-Central Ontario : Recent Observations », *Journal of the Fisheries Research Board of Canada*, vol. 35, n° 6, 1978.

* ENVIRONNEMENT-CANADA, « Les pluies acides », Direction générale de l'information, ministère de l'Environnement, Ottawa, Ontario, 4 p.

* ENVIRONNEMENT-CANADA, « L'odyssée des pluies acides », Direction générale de l'information, ministère de l'Environnement, Ottawa, Ontario.

ENVIRONMENT CANADA, *Proceedings of a Workshop on Long-Range Transport of Air Pollution and its Impacts on the Atlantic Region*, Dartmouth, Nouvelle-Écosse, 17-18 octobre 1979.

* FERLAND, Michel, « Réseau de précipitations des pluies acides », ministère de l'Environnement, Québec, novembre 1981.

GLASS, Gary E. et O.L. LOUCKS, eds., *Impacts of Air Pollutants on Wilderness Areas of Northern Minnesota*, EPA Environmental Research Laboratory, Duluth, Minnesota, mars 1979.

GLASS, N.R. *et al.*, *Environmental Effects of Acid Precipitation.* Une intervention à la Fourth National Conference on the Interagency Energy/Environmental Research and Development Program, Washington, D.C., 8 juin 1979.

* GOUVERNEMENT DU CANADA, « Les eaux sournoises. La tragique réalité des pluies acides », Rapport du sous-comité sur les pluies acides, Chambre des Communes du Canada, ministère des Approvisionnements et Services Canada 1981, Cat. #XC29-321/2-01F, 157 p.

* GRIMARD, Yves, « Contribution à l'étude de la vulnérabilité des eaux lacustres québécoises face à l'acidification des précipitations », ministère de l'Environnement, Québec, janvier 1981.

HARVEY, H.H., « The Acid Deposition Problem and Emerging Research Needs », *Proceedings of the Fifth Annual Aquatic Toxicity Workshop*, Hamilton, Ontario, 7–9 novembre 1978. Fish. Mar. Ser. Tech. Rep. 862 : 115–128.

INCO LIMITED, *Remarks at the Ontario Ministry of the Environment Public Meeting to Discuss Proposed Control Order*, Sudbury, 4 juin 1980.

JONSSON, Bengt et Rolf SUNDBERG, « Has the Acidification by Atmospheric Pollution Caused a Growth Reduction in Swedish Forests? », *Research Notes — Department of Forest Yield Research Nr. 20*, Royal College of Forestry, Stockholm, 1972.

KRAMER, J., *Susceptible Lands in Canada and U.S.A.*, Une intervention au séminaire sur les pluies acides le 2 novembre 1979 à Toronto.

* LACHANCE, Marius, « L'acidification des précipitations, nature et étendue du problème », conférence au colloque AQTE, SPE, 5 novembre 1979.

* LACHANCE, M., MORIN, G., et SASSEVILLE, J.L., « Approche rationnelle à l'étude de la qualité des précipitations sur un bassin », INRS-EAU, août 1979.

* LAPOINTE, Laval, « Les émissions de $SO_2$ au Québec et les stratégies d'intervention », ministère de l'Environnement, Québec, novembre 1981.

* MINISTÈRE DE L'ENVIRONNEMENT DU QUÉBEC, « Mémoire soumis au gouvernement américain en opposition au relâchement des normes de la qualité de l'environnement », 1981.

* MINISTÈRE DE L'ENVIRONNEMENT DU QUÉBEC, « Étude écologique de la région Rouyn-Noranda », rapport final (E-17), Bureau d'étude des substances toxiques, avril 1979.

* MINISTÈRE DE L'ENVIRONNEMENT DU QUÉBEC, « Les précipitation acides et l'environnement », Service de l'éducation, septembre 1981.

ONTARIO HYDRO, *The Sources of Acid Precipitation and Its effects on Biological Systems*, Design and Development Division, Report n° 79164, juillet 1979.

ONTARIO HYDRO, *Atikokan Generating Station Study of Sulphate Loadings in Boundary Waters Canal Area and Quetico Park*, rapport préparé par Acres Consulting Services, Niagara Falls, Ontario, mars 1978.

ONTARIO MINISTRY OF THE ENVIRONMENT, *Acidic Lakes in Ontario : Characterization, Extent, and Responses to Base and Nutrient Additions*, septembre 1977.

ONTARIO MINISTRY OF THE ENVIRONMENT, *Acidic Precipitation in South-Central Ontario : Analysis of Source Regions Using Air Parcel Trajectories*. Mai 1980.

ONTARIO MINISTRY OF THE ENVIRONMENT, *An analysis of the Sudbury Environmental Study: Network Precipitation Acidity Data June–September, 1978*, février 1979.

ONTARIO MINISTRY OF THE ENVIRONMENT, *Bulk Deposition in the Sudbury and Muskoka-Haliburton Areas of Ontario During the Shutdown of Inco Ltd. in Sudbury*. Mai 1980.

ONTARIO MINISTRY OF THE ENVIRONMENT, *The Depression of pH in Lakes and Steams in Central Ontario During Snowmelt*, février 1979 (révisé).

ONTARIO MINISTRY OF THE ENVIRONMENT, *Notes on Acidic Precipitation for the Standing Committee on Resources Development*, février 1979.

ONTARIO MINISTRY OF THE ENVIRONMENT, *Reclamation of Acidified Lakes Near Sudbury, Ontario*, juin 1975.

ONTARIO MINISTRY OF THE ENVIRONMENT, *Reclamation of Acidified Lakes Near Sudbury, Ontario by Neutralization and Fertilization*, sans date.

ONTARIO MINISTRY OF THE ENVIRONMENT, *Survival of Rainbow Trout, Salmo Gairdnei, in Submerged Enclosures in Lakes Treated With Neutralizing Agents Near Sudbury, Ontario*, Technical report LTS 79-2, mars 1979.

* PAULIN, Gaston, « Détermination préliminaire des régions du Québec particulièrement touchées par les précipitations acides », *Feuillet météorologique*, vol. XIX, nº 8, août 1981.

* PAULIN, Gaston, « Le transport aérien des émissions atmosphériques », ministère de l'Environnement, Québec, novembre 1981.

* PERRIER, R., et ROY, J.A., « Présentation générale du problème des pluies acides et référence au cadre administratif et juridique nord-américain », ministère de l'Environnement, Québec, novembre 1981.

* ROGEL, J.-Pierre, « Un paradis de la pollution », Presses de l'Université du Québec, Québec-Science, 275 p.

ROY, Jean-A., *Les Pluies Acides sur l'Est de l'Amérique du Nord et leurs Incidences au Québec*, Ministère de l'environnement, Québec, sans date.

SCHINDLER, D.W. *et al.*, « Experimental Acidification of Lake 223, Experimental Lakes Area : Background Data and the First Three Years of Acidification », *Canadian Journal of Fisheries and Aquatic Science*, vol. 37, 1980.

SHAW, R.W., « Acid Precipitation in Atlantic Canada », *Environmental Science Technology*, 1979 : 406.

* TALBOT, Lévis, « Réseau québécois de collecte des précipitations — conception, mise sur pied et mode de fonctionnement », ministère de l'Environnement, Québec, février 1981.

* TALBOT, Lévis, « Observations sur la qualité de la neige », rapport rédigé pour le Bureau d'étude sur les substances toxiques, ministère de l'Environnement, Québec, 1979.

* TALBOT, Lévis, « Effet des précipitations acides sur la faune ichtyenne du parc des Laurentides », ministère de l'Environnement, Québec, novembre 1981.

214

U.S. EPA, *Environmental Effects of Increased Coal Utilization: Ecological Effects of Gaseous Emissions from Coal Combustion*, Corvallis Environmental Research Laboratory, Report EPA-600/7-78-108, juin 1978.

U.S. SENATE COMMITTEE ON ENERGY AND NATURAL RESOURCES, *Sulphur Oxides Control Technology in Japan*, U.S. EPA Interagency Task Force Report, 30 juin 1978.

WATT, W.W., « Acidification and Other Chemical Changes in Halifax County Lakes After 21 Years », *Limnology and Oceanography*, 24(6), 1979: 1154–1161.

# Table des matières

Achevé d'imprimer
en janvier mil neuf cent quatre-vingt-deux
sur les presses de l'Imprimerie Gagné Ltée
Louiseville - Montréal.
Imprimé au Canada